For Anne
To remember our
wonderful trip to Prague
Dearest Love,
Mom + Dad
Christmas, 1992

OLYMPIA PRAHA

JIŘÍ DOLEŽAL
IVAN DOLEŽAL
PRAHA

JIŘÍ DOLEŽAL
IVAN DOLEŽAL
PRAHA
PRAG PRAGUE
PRAGUE PRAGA
PRAGA
Olympia

ISBN 80-7033-222-0

BUĎ VÍTÁN, kdokoliv do Města pražského vcházíš, ať jsi přišel odkudkoliv. Město na tebe čeká a pohostinsky otvírá své brány. Je to město krásné, leží mezi zarostlými svahy a protéká jím řeka Vltava, ověnčená mosty, mezi nimi pak i tím mostem nejstarším, mostem Karlovým. Až po něm půjdeš, budou tě provázet kamenné postavy světců. Pomni, že v Praze jdeš stále mezi dávnými věky. K nebi čnějí stovky věží, uslyšíš z nich údery hodin i hlahol zvonů. Jsi uprostřed města, ale také uprostřed dějin, neb kudy jdeš dnes ty, tudy prošli lidé už před tisíciletím.   V řece se obráží obloha, zvlášť je-li ozářena ranním či zapadajícím sluncem nebo měsícem v úplňku. Nebe se zrcadlí i v oknech chrámů a paláců, ulice zaplňují lidé — to vše je obraz, jenž tě bude stále provázet. Patří do něho i parky, dávné sochy i staré uličky. A Vltava, protékající městem nejen ve svém řečišti, ale i v desítkách kašen, z nichž tryská voda a tiše pleská v jejich kamenných obrubách.

JE TO MĚSTO DÁVNÉ, kamenné, kdysi sevřené hradbami a posléze z nich osvobozené, aby se mohlo rozrůstat na všechny strany. A byl to růst bouřlivý, někdy těžký a jindy pozvolný, ale město rostlo bez ustání z lidské práce. Kolem svého historického středu se obklopuje stále novými čtvrtěmi. Půjdeš-li po Václavském náměstí, jež na svém počátku je ověnčeno majestátní budovou Muzea a klesá zvolna k Můstku, pak zaváháš, kudy se dát: zda po Národní třídě k Národnímu divadlu a na nábřeží Vltavy, nebo po Příkopech a kolem Prašné brány do Revoluční ulice. Neboť posléze i tudy se dostaneš k Vltavě. A z obou míst uvidíš — z různých úhlů — to nejkrásnější: nad řekou čnějící Hradčany. A kdyby ses rozhodl projít Prašnou branou, ocitneš se na Královské cestě, kudy se vždy ubíral korunovační průvod nových českých králů na Hradčany. Je lemována prastarými domy, jež jsou barevné, je to cesta úsměvná a útočí na lidské srdce, jež tu přímo okřeje.

NA STAROMĚSTSKÉM NÁMĚSTÍ se tvoje kroky zastaví před starobylou věží radnice a na ní zaujme orloj, měřící už po staletí čas. Když bijí hodiny, otevřou se malá okénka a objeví se průvod apoštolů. Posléze zazvoní kostlivec, aby připomínal, že náš lidský čas je ohraničen.   Uprostřed náměstí stojí socha Jana Husa a hledí k Týnu, kdysi hlavnímu chrámu husitské Prahy. Na tomto náměstí v sedmnáctém věku po bitvě na Bílé hoře tragicky skončilo údobí české samostatnosti.   A není tak dávno, kdy zde na konci poslední světové války změnila válečná lítice krásnou radnici v trosky. Bronzové desky s rukou zdviženou k přísaze na mnohých domech ukazují, kde tekla lidská krev, když Praha bojovala na barikádách za svou svobodu.   A odtud, příteli, projdeš uličkami ke Karlovu mostu. Tudy korunovační průvod mohl přejít Vltavu a stoupat vzhůru k Hradu a k chrámu Svatovítskému.

Z HRADU se skýtá zas krásný pohled na město. Není to jenom moře domů, ale směsice střech a vztyčených věží, chrámů i zeleně stromů a barev květů. Věčně se vzdouvající údolí, jímž se Vltava musela prodrat, aby si vynutila místo pro svou vodu i pro svou Prahu. Bylo to místo náhodné? Bylo to místo osudové? Kdoví ... Pověst však praví, že slávu tomu městu věštila sama bájná kněžna Libuše, usoudivši, že město zde založené se bude jednou hvězd dotýkat. A tak se stalo. Ta historie byla složitá a cesta dlouhá, než zde vyrostly všechny paláce i chrámy, tolikrát pobořené, tolikrát na prach spálené a zase povstávající z popela jako pták Fénix, vždy krásnější. Z toho všeho vzniklo ono město, jež dneska vnímáš s pocitem: je to město dojímající i strhující. Město s tváří krásné ženy, ale taky se vzdornou tváří Prahy bojující.

KAŽDOU HODINU se vzhled Prahy mění, Praha má své půvaby v podvečer, je pozoruhodná i ve tmě, kdy ji věnčí náhrdelníky světel, i při rozbřesku nového dne. Ta neustálá proměna je důvodem, proč se sotva můžeš spokojit s jedním pohledem, s jedním zastavením, s jednou jedinou návštěvou.   Vracet se zpátky, vracet se na místa, kde jsi včera zahlédl kus neobvyklé krásy . . . Zítra se tam určitě znovu vrátit . . . Vracíme se vlastně vždycky domů!   Vždyť lidé žijí na této zemi proto, aby objevovali neustále smysl lidského díla, lidské práce i krásy, před nímž se člověk musí hluboce poklonit.
Vítejte v Praze, přátelé!   Jiří Marek

Wer sich entschlossen hat, Prag zu besuchen, der hat beschlossen, in einem großen Buch zu blättern, das von weit zurückliegenden Ereignissen spricht, denn Prag ist eine altehrwürdige Stadt. Der Beginn Prags ist seine Altstadt. Einst war an dieser Stelle ein Markt, und rings um ihn begannen sich Häuser zu häufen, ehrwürdige, sehr feste, mit Türmen befestigte Häuser, denn die Welt war damals unsicher und die Kaufleute waren reich. Vorher mußte allerdings die Vltava ein Tal durchbrechen, um genügend Platz für ihr Wasser zu haben, und damit hier auch eine freie Stelle entstünde für eine, zwischen bewachsenen Hängen und Wäldern liegende zukünftige Stadt.

Und so verging viel Zeit. Die romanische Epoche war vorüber, auf den Grundmauern dieser Häuser erhoben sich gotische Bauwerke. Die wilde Vltava überquerte die steinerne Karlsbrücke, die spätere Epochen mit barocken Heiligenstatuen verzierten. Die Brücke war die einzige Verbindung zwischen der Prager Altstadt und der Kleinseite. Über sie führte der Krönungsweg der böhmischen Könige auf den Hradčany, wo die Krönungsfeierlichkeiten stattfanden.

Dieser Weg führt auch über den Altstädter Ring, wo die Geschichte nicht wenige Spuren hinterlassen hat. Hier wurde das erste Rathaus errichtet, hier erhob sich die Teinkirche, eines der Zentren der hussitischen Revolutionsbewegung, hier erlosch nach der Schlacht am Weißen Berg die tschechische ruhmreiche Selbständigkeit. Sie wurde erst im Jahr 1918 wiedererreicht. Und schließlich brannte hier in den letzten Tagen des zweitem Weltkriegs auch das alte Rathaus, als Prag auf Barrikaden seine Freiheit gegen die nazistischen Panzer verteidigte.

Hoch über der Stadt erhebt sich die Prager Burg. Von dort aus soll der schönste Ausblick auf Prag genossen werden: auf seine Dächer, seine hohen Türme, Kirchen, auf seine Gärten voll frischen Grüns. Gegen Süden erhebt sich auf einem hohen Felsen der Vyšehrad, heute mit einer neugotischen Kirche und unbedeutenden Resten der ehemaligen Burgstätte der Přemysliden. Von den Schanzen des Vyšehrad öffnet sich ein völlig anderer Anblick auf Prag, dessen Zentrum im vergangenen Jahrhundert Arbeiterviertel und später neue Wohnviertel umschlossen, die einen weißen Ring von Wohnsiedlungen bilden, wohin auch das Auge blickt.

Prag ist der steinerne Ausdruck der Einheit der menschlichen Arbeit und der Schönheit der modernen Tage.

Seid recht herzlich in Prag willkommen, liebe Freunde!

JIŘÍ MAREK

Those who decide to visit Prague decide to leaf through a large book telling about ancient events, because Prague is an ancient city. The beginning of Prague is the Old Town. There was once a market-place here around which houses began to spring up, ancient, very strong ones with towers, for in those days the world was wild and merchants were wealthy. First of all, however, the River Vltava had to cut out a valley in order to have room for its waters and so that a place could thus originate for a town amidst the overgrown slopes and forests.

Time passed, the Romanesque period came to an end and then Gothic buildings began to originate on the foundations of the former houses. The turbulent Vltava was spanned by Charles Bridge, built of stone, and later ages adorned it with Baroque statues of saints. The bridge was the only communication between the Old Town and the Little Quarter. The "coronation route" of Czech kings led this way to Hradčany, where their coronation took place.

That route also ran through Old Town Square, where history has inscribed itself on more than one occasion. The first Town Hall was erected here, Týn Church, one of the centres of the Hussite revolution, came into being here and it was here that the ancient glory of Bohemia fell. It returned in 1918. Finally, the Old Town Hall was greatly damaged by fire during the last days of the Second World War when Prague defended its freedom on barricades against Nazi tanks.

High above Prague rises the Castle. From here there is allegedly the most beautiful view of Prague: of its rooftops, high towers and steeples, churches and gardens full of greenery. Situated on a high rock in southerly direction is Vyšehrad, now with a Neo-Gothic church and the negligible remains of a Přemyslid castle site. From the Vyšehrad fortification walls there is a new view of Prague, whose centre was surrounded by working-class districts in the 19th century, and of new residential districts formed by a white band of housing estates visible from all angles.

Prague forms a stone unity of human work and the beautiful features of the present.

Welcome to Prague, friends!

JIŘÍ MAREK

Vouloir visiter Prague, c'est comme vouloir feuilleter un grand livre qui narre d'anciens événements, car Prague est une ville ancienne. Les origines de Prague se trouvent dans la Vieille Ville. Autrefois, il y avait là un marché autour duquel des maisons commencèrent à se concentrer, massives et dotées de tours, car le monde alors était sauvage et les marchands, eux, étaient riches. Bien avant cela, évidemment, la Vltava a dû creuser une vallée pour donner assez d'espace à ses eaux et pour créer, au sein des pentes couvertes de forêts, le site où sera édifiée la future ville.

Des époques se succédèrent. La période romane éclipsée, on commença à élever, sur les fondements des vieilles maisons, des édifices gothiques. La Vltava turbulente fut enjambée par un pont de pierre, le pont Charles, décoré plus tard par des statues baroques de saints. Le pont était l'unique moyen de communication entre la Vieille Ville et Malá Strana. C'était par le pont que passait la « voie des couronnements », chemin qui conduisait les rois de Bohême au Château, lieu de leurs couronnements solennels.

Cette voie traverse aussi la place de la Vieille Ville, sur laquelle l'Histoire s'inscrivit à maintes reprises. C'est ici que fut érigé le premier Hôtel de Ville, que s'éleva l'église de Týn, l'un des foyers de la révolution hussite, c'est ici que s'effondra, par suite de la bataille de la Montagne Blanche, l'ancienne gloire tchèque. Elle y reviendra en 1918. Et, les derniers jours de la seconde guerre mondiale, le vieil Hôtel de Ville brûla lorsque Prague défendait sa liberté sur les barricades contre les chars nazis.

De sa haute colline, le Château domine Prague. On dit que c'est de là que s'offre la plus belle vue sur la ville: sur ses toits, ses hautes tours, ses églises, ses jardins pleins de verdure. Vers le sud, Vyšehrad se dresse sur sa haute falaise; nous y trouverons une cathédrale et quelques derniers vestiges de la forteresse Přemyslide. Du haut des remparts, une nouvelle vue s'ouvre sur Prague dont le centre fut entouré, au siècle dernier, par des quartiers ouvriers ; plus loin à l'horizon, s'étend l'enceinte blanche des nouveaux quartiers.

Dans Prague, le travail humain et la beauté de nos jours se lient en une seule harmonie de pierre.

Les portes de Prague vous sont ouvertes, chers amis !

JIŘÍ MAREK

Praga è una città antica e visitarla è come sfogliare un grande libro che ci racconta gli avvenimenti di una volta. I suoi inizi sono legati alla Città Vecchia. Qui una volta vi era il mercato attorno al quale una dopo l'altra, si ammucchiavano le robuste case, ognuna fornita di torri, poiché il mondo, a quei tempi, era violento e i mercanti facoltosi. Ma ancora molto tempo prima la Moldava dovette aprirsi la strada nella valle per far posto alle sue acque e anche alla futura città, che si sarebbe estesa tra i pendii ricoperti di alberi e foreste. Il tempo passò, sino a che sulle fondamenta delle case romaniche crebbero costruzioni gotiche. Sulla Moldava, il fiume tempestoso, venne costruito il ponte Carlo; fu fatto in pietra e col tempo sarebbe stato adornato dalle statue barocche dei santi. Tra la Città Vecchia e la Parte Piccola non c'era altro collegamento che questo ponte. Per la cosiddetta «via dell'incoronazione» passavano i re boemi che andavano al castello reale di Hradčany per essere incoronati.

Questa via attraversa anche la Piazza della Città Vecchia, luogo di tanti avvenimenti storici. Qui fu costruito il primo municipio, la cattedrale di Týn e fu uno dei centri della rivoluzione ussita. Proprio in questo luogo, dopo la battaglia della Montagna bianca, tramontò la gloria boema per risplendervi poi nel 1918. Negli ultimi giorni della seconda guerra mondiale, quando sulle barricate la città difendeva la sua libertà contro i carri armati nazisti, venne dato fuoco al vecchio municipio.

Sopra la città si erge il Castello. Si dice che dal castello si goda il più bel panorama della città: da qui si vedono i tetti, le alte torri, le cattedrali e i verdi giardini di Praga. Verso sud, sull'alta roccia, si erge Vyšehrad, oggi con una chiesa neogotica e pochi resti della fortezza premislidiana. Dalle fortificazioni di Vyšehrad si apre un altro pànorama di Praga, il cui centro nel corso del secolo scorso fu circondato dai quartieri operai e poi dai nuovi quartieri, un cerchio bianco, che si stende a perdita d'occhio.

Praga, nelle sue pietre, unisce il lavoro umano con la bellezza dei nostri giorni.

Benvenuti a Pràga!

JIŘÍ MAREK

Quien haya decidido visitar Praga, leerá las páginas de un libro voluminoso, dedicado a los sucesos del pasado, ya que se trata de una ciudad de vieja historia. El origen de Praga es su Cuidad Vieja. Alrededor del mercado de otrora comenzaron a agruparse las casas, viejas construcciones sólidas dotadas de torres, porque el mundo era por entonces inseguro y los mercaderes acaudalados. Pero antes el Moldava tuvo que abrirse camino a través del valle para permitir el paso de sus aguas y así crear el espacio que necesitaba la futura ciudad, entre colinas y bosques espesos.

Pasó el tiempo, culminó el período románico y sobre los fundamentos de esos edificios empezaron a elevarse las construcciones góticas. Cruzó el borrascoso Moldava el puente de piedra llamado de Carlos, más tarde ornamentado con esculturas barrocas de santos. El puente fue el único paso seco entre la Ciudad Vieja y la «Ciudad Menor» o Malá Strana. Por aquí pasaba el ‚«camino de la coronación» de los reyes checos que se dirigían con su séquito a asumir el trono en el Castillo de Praga.

La ruta pasa también por la Plaza de la Ciudad Vieja, testigo frecuente de hechos históricos. Aquí se estableció el primer ayuntamiento, aquí se elevó el templo de Týn, uno de los escenarios de la revolución husita, aquí cayó el antiguo esplendor de Bohemia tras la batalla del Monte Blanco, para revivir en 1918. Y en los últimos días de la segunda guerra mundial se vieron las llamas del viejo Ayuntamiento, cuando Praga defendia en las barricadas su libertad frente a los tanques nazis.

Domina la ciudad desde lo alto su Castillo. Suele decirse que de allí se ofrece el más bello panorama de Praga: sus techos, torres, templos, jardines plenos de verdor. Al sur se eleva, sobre un peñón, el conjunto de Vyšehrad, hoy con un templo neogótico y unos pocos restos de la vieja ciudadela premislita. Desde sus murallas surge otra vista de Praga y su centro, en el siglo pasado rodeado de barrios proletarios y, más allá, las zonas residenciales que forman el anillo blanco de los conjuntos habitacionales, hasta donde se pierde la vista.

Praga constituye una unidad pétrea de trabajo humano y belleza contemporánea.

¡Bienvenidos, amigos!

JIŘÍ MAREK

STARÉ MĚSTO

Toto město bylo základem Prahy, zde bylo kdysi tržiště a město se rozrůstalo kolem Vltavy. Na Staroměstském náměstí vznikla stará radnice, opodál stojí Týn a Husův pomník, symbol husitského hnutí. Nedávno zde byl renovován gotický dům U kamenného zvonu. Kdykoliv odbíjejí z věže radnice hodiny, shromažďují se lidé pod orlojem, aby znovu zhlédli to starodávné divadlo: apoštolové přecházejí před zraky diváků. Všude kolem jsou starobylé uličky, v jednom jejich sklepení byl už ve středověku vinný sklípek radničních pánů. I dnes tu je vinárna. Historie přetrvává.

Směrem k Vltavě leží Starý židovský hřbitov mezi dvěma synagógami. Je to zarostlá zahrada s kamennými náhrobky, je tu i hrob slavného rabbi Löwa. Projdeme-li k Staroměstské mostecké věži, nalezneme na ní kamenné portréty Karla IV. a jeho syna Václava. Gotický Karlův most je dílo vynikající, možná, že nám neujde, jak je staven v mírně prohnutém oblouku. Obě mostecké věže neleží však proti sobě: kdyby nepřítel dobyl jedné strany mostu, mohl by jen s obtížemi střílet na věž protilehlou. Byla to náhoda nebo byli naši předkové tak moudří?

DIE ALTSTADT

Aus dieser Stadt wuchs Prag auf, hier war eine Marktstätte und an den Ufern der Vltava breitete sich dann die Stadt aus. Auf dem Altstädter Ring entstand das alte Rathaus, unweit steht die Teinkirche und das Hus-Denkmal, das Symbol der hussitischen Bewegung. Vor kurzem wurde hier das gotische Haus Zur steinernen Glocke renoviert. Wann immer vom Rathausturm die Schläge der ganzen Stunden ertönen, versammeln sich viele Menschen vor der astronomischen Uhr, um wieder und wieder das uralte Schauspiel zu sehen: den Zug der Apostel hinter den Fensterchen der Uhr. Überall ringsum sind enge alte Gäßchen, in einem der Keller war bereits im Mittelalter der Treffpunkt der Ratsherren beim Wein. Auch heute ist eben hier eine Weinstube. Die Geschichte überdauert die Zeiten.

In der Richtung zur Vltava liegt der Alte jüdische Friedhof zwischen zwei Synagogen, ein bewachsener Garten mit Grabsteinen und Tumben; man findet hier auch das Grab des berühmten Rabbi Löw. Am Altstädter Brückenturm der Karlsbrücke fesseln uns die steinernen Portraits Karls IV. und seinen Sohns Wenzel. Die gotische Karlsbrücke ist ein hervorragendes Bauwerk, vielleicht entgeht es uns nicht, daß sie in einem leicht gewölbten Bogen errichtet wurde. Beide Brückentürme liegen nicht genau einander gegenüber: wenn ein Feind eine Seite der Brücke eingenommen hätte, konnte er nur schwer den gegenüberliegenden Brückenturm unter Beschuß nehmen. Ein Zufall? Oder waren unsere Vorfahren so weise?

THE OLD TOWN

This town was the base of Prague. There was once a market-place here and the city spread out round the River Vltava. The Old Town Hall was built in Old Town Square and standing a short distance away from it are Týn Church and the Huss monument, the symbol of the Hussite movement. The Gothic house called At the Stone Bell has recently been renovated here. When the hour is struck from the tower of the Old Town Hall people gather below the horologe in order to see again the ancient pageant which takes place: the Apostles parade in front of their eyes. All around there are ancient little streets and in the cellarage of a house in one of them the aldermen had their wine cellar. And there is still a wine tavern here. History survives.

Lying between two synagogues in the direction towards the Vltava is the Old Jewish Cemetery. It is an overgrown garden with stone tombstones and the grave of the renowned Rabbi Löw is situated in it. If we make our way to the Old Town Bridge Tower we shall find portraits of King Charles IV and his son Václav on it. Gothic Charles Bridge is an outstanding work and it is possible that we shall observe that it was built in a slight curve. The two bridge towers do not stand precisely oposite each other, however: if an enemy conquered one side of the bridge he could shoot at the opposite tower only with great difficulty. Was this a matter of chance, or were our ancestors so wise?

LA VIEILLE VILLE

■ Ce fut cette ville qui donna naissance à Prague : un marché s'y trouvait autrefois et la ville, en croissant, s'étendit le long de la Vltava. Sur la place de la Vieille Ville fut fondé l'Hôtel de Ville, non loin duquel se trouvent l'église de Týn et le monument à Jan Hus, symbole du mouvement hussite. Tout récemment, fut restaurée la maison « A la cloche de pierre », de style gothique. A chaque fois que l'horloge de la tour de l'Hôtel de Ville sonne les heures, une foule se rassemble devant elle pour revoir le spectacle centenaire des apôtres qui défilent sous les yeux du public. Partout autour il y a des ruelles historiques. Dans un des caveaux des vieilles maisons, une taverne, où venaient les maires avec leurs conseillers, existait déjà au moyen-âge. Elle y est encore : l'Histoire persiste.

Non loin de la Vltava, nous visiterons le Vieux cimetière juif, serré entre deux synagogues. C'est un jardin sauvage avec des tombeaux de pierre, parmi lesquels il y a aussi celui du célèbre rabbin Löw. Arrivés près de la tour de pont de la Vieille Ville, nous trouverons parmi ses décoration de pierre les portraits de Charles IV et de son fils Venceslas. Le pont Charles, de style gothique, est une œuvre remarquable. Nous ne manquerons pas de nous apercevoir qu'il est construit en courbe. Les deux tours du pont ne se trouvent donc pas en face l'une de l'autre : si l'ennemi prenait l'une d'elles, il ne pouvait pas tirer facilement sur la tour de l'autre rive. Est-ce un hasard, ou bien est-ce parce que nos ancêtres étaient si intelligents ?

LA CITTÀ VECCHIA

■ Questo quartiere è il fondamento di Praga; qui una volta c'era il mercato attorno al quale, sulle rive del fiume Moldava, si stendeva la città.

Nella piazza della Città Vecchia fu costruito il municipio, poco lontano dal quale si ergono la cattedrale di Týn e il monumento di Hus, simbolo del movimento ussita. Negli ultimi anni è stata ristrutturata la casa gotica «Alla campana di pietra». Quando, dalla torre del comune, si sente suonare l'orologio, la gente vi si raccoglie sotto per vedere ancora una volta l'antico spettacolo: gli apostoli che sfilano davanti agli occhi degli spettatori. Attorno al municipio si snodano vecchie viuzze. In una di queste, nel medioevo, fu aperta una cantina per il vino destinata ai signori del municipio. Anche oggi in quel luogo si beve il vino; testimonianza del fatto che la storia resiste al tempo.

A poca distanza dal lungofiume si trova il vecchio cimitero ebraico, situato tra le due sinagoghe. Esso è in realtà un giardino ricco di alberi e di pietre tombali tra cui anche quella del famoso rabbino Löw. Sulla Torre del ponte, sempre nella Città Vecchia, troviamo i ritratti in pietra di Carlo IV e di suo figlio Venceslao. Il ponte gotico di Carlo IV è leggermente incurvato. Le due torri, alle estremità oposte del ponte, non sono in linea diretta: se una di loro fosse stata conquistata dal nemico, questi difficilmente avrebbe potuto cannoneggiare contro l'altra torre. Fu questo un caso oppure i nostri avi furono tanto saggi?

LA CIUDAD VIEJA

■ Esta zona forma el núcleo de Praga. Aquí existía antiguamente un mercado y la ciudad se fue extendiendo junto al Moldava. En la Plaza de la Ciudad Vieja surgió el viejo Ayuntamiento, cerca de él el templo de Týn y el monumento a Hus, símbolo del movimiento husita. No hace mucho fue reconstruida la casa gótica «de la Campana de Piedra». Cada vez que el reloj del Ayuntamiento da la hora se reúnen al pie del mismo los transeúntes, para asistir al viejo espectáculo: los apóstoles se presentan ante el público. El barrio rebosa de viejas callejuelas. En uno de los sótanos vecinos, ya en la Edad Media los concejales poseían una bodega. La vinería perdura hasta hoy. La historia no desaparece.

Más cerca del río se encuentra el Viejo Cementerio Judío, encerrado entre dos sinagogas. Es un tupido jardín, con túmulos de piedra, entre los que encontraremos incluso el del célebre rabino Löw. Si nos acercamos a la Torre del Puente en la Ciudad Vieja, no dejaremos de notar en sus relieves los retratos de Carlos IV y su hijo Venceslao. El Puente de Carlos es una notable obra gótica; seguramente observaremos que su trazado no es rectilíneo y las torres sobre ambas cabezas no están una frente a las otras: si el adversario ocupara una de las márgenes, difícilmente podría alcanzar con su artillería las defensas de la otra margen. ¿Producto del azar, o de la sabiduría de nuestros antepasados?

- RADNICE S KOSTELEM SV. MIKULÁŠE
- RATHAUS MIT DER ST.-NIKOLAUS-KIRCHE
- THE TOWN HALL WITH ST. NICHOLAS'S CHURCH
- L'HÔTEL DE VILLE AVEC L'ÉGLISE SAINT-NICOLAS
- IL MUNICIPIO CON LA CHIESA DI S. NICOLA
- EL AYUNTAMIENTO Y LA IGLESIA DE SAN NICOLÁS

- PODVEČERNÍ CELETNÁ ULICE
- DIE GASSE CELETNÁ ULICE IN DER ABENDDÄMMERUNG
- EARLY EVENING IN CELETNÁ STREET
- LA RUE CELETNÁ EN FIN D'APRÈS-MIDI
- LA VIA CELETNÁ DURANTE IL CREPUSCOLO
- CREPÚSCULO EN LA CALLE CELETNÁ

STAROMĚSTSKÁ RADNICE
ALTSTÄDTER RATHAUS
THE OLD TOWN HALL
L'HÔTEL DE VILLE
DE LA VIEILLE VILLE
IL MUNICIPIO
DELLA CITTÀ VECCHIA
EL AYUNTAMIENTO
DE LA CIUDAD VIEJA

ŠTORCHŮV DŮM
ŠTORCH-HAUS
ŠTORCH'S HOUSE
MAISON ŠTORCH
LA CASA DI ŠTORCH
LA CASA ŠTORCH

- GOTICKÝ ARKÝŘ RADNICE
- GOTISCHER ERKER DES RATHAUSES
- THE GOTHIC ORIEL OF THE TOWN HALL
- BALCON GOTHIQUE DE L'HÔTEL DE VILLE
- L'AGGETTO GOTICO DEL MUNICIPIO
- VENTANAL GÓTICO DE CAPILLA
  DEL AYUNTAMIENTO

MELANTRICHOVA ULICE
DAS GÄSSCHEN MELANTRICHOVA ULICE
MELANTRICHOVA STREET
RUE MELANTRICH
LA VIA MELANTRICH
LA CALLE MELANTRICH

Radniční domy - V kostele sv. Jiljí - Staronová synagóga - Křižovnické náměstí - Betlémská kaple - Dům U zelené žáby - Nádvoří Anežského kláštera - Klenutí ve Sv. Jakubu - Dům U zlaté studně - Dům U kamenného zvonu - Gotický arkýř Karolina - Románské sklepení v domě pánů z Kunštátu → Staroměstská mostecká věž

Rathausgebäude - St.-Ägidius-Kirche - Alt-Neu-Synagoge - Kreuzherrenplatz - Bethlehemskapelle - Haus Zum grünen Frosch - Hof des Agnesklosters - Gewölbe in der St.-Jakob-Kirche - Haus Zum goldenen Brunnen - Haus Zum steinernen Glocke - Gotischer Erker des Karolinums - Romanischer Kellerraum im Haus der Herren von Kunštát → Altstädter Brückenturm

The Town Hall buildings - In St. Giles's Church - The Old-New Synagogue - Knights of the Cross Square - Bethlehem Chapel - The house called At the Green Frog - The courtyard of the Convent of St. Agnes -The vault in St. James's Church - The house called At the Golden Well - The house called At the Stone Bell - The Gothic oriel of the Carolinum - The Romanesque cellerage in the house of the lords of Kunštát → The Old Town Bridge Tower

Les édifices de l'Hôtel de Ville - L'église Saint-Gilles - La synagogue Vieille-Nouvelle - La place des Croisés - La Chapelle de Bethléem - Maison A la grenouille verte - La cour du couvent de Sainte-Agnès - Les voûtes de Saint-Jacques - Maison Au puits d'or - Maison A la cloche de pierre - Balcon gothique du Karolinum - Cave romane de la maison des seigneurs de Kunštát → La tour du pont de la Vieille Ville

Gli edifici del Municipio - Nella chiesa di San Egidio - La sinagoga Vecchionuova - La piazza dei Crociati - La cappella di Betlemme - La casa «Alla rana verde» - Il cortile del monastero di S. Agnese - La volta nella chiesa di S. Giacomo - La casa «Al pozzo d'oro» - La casa - «Alla campana di pietra» - L'aggetto gotico del Carolinum - Le cantine romaniche nella casa dei signori di Kunštát → Città Vecchia, la Torre del ponte

Las casas del Ayuntamiento - Junto a la iglesia de San Gil - La Nueva Vieja Sinagoga - La Plaza de los Cruciferarios - La Capilla de Belén - La casa «de la Rana Verde» - Patio del Monasterio de Santa Inés - Bóvedas de la iglesia de Santiago - Casa «del Pozo de Oro» - Casa «de la Campana de Piedra» - Ventanal gótico de capilla del Carolinum - Sótanos románicos de la Casa de los Señores de Kunštát → Torre del Puente en la Ciudad Vieja

MELANTRICHOVA ULICE S RADNIČNÍ VĚŽÍ
DAS GÄSSCHEN MELANTRICHOVA ULICE MIT DEM RATHAUSTURM
MELANTRICHOVA STREET WITH THE TOWN HALL TOWER
RUE MELANTRICH AVEC LA TOUR DE L'HÔTEL DE VILLE
LA VIA MELANTRICH CON LA TORRE DEL MUNICIPIO
LA CALLE MELANTRICH Y LA TORRE DEL AYUNTAMIENTO

ČEKÁNÍ NA APOŠTOLY
IN ERWARTUNG DER APOSTEL
WAITING FOR THE APOSTLES
EN ATTENDANT LES APÔTRES
IN ATTESA DEGLI APOSTOLI
ESPERANDO A LOS APOSTOLES

POHLED Z OKNA DOMU U KAMENNÉHO ZVONU
BLICK AUS DEM FENSTER DES HAUSES ZUR STEINERNEN GLOCKE
VIEW FROM A WINDOW OF THE HOUSE CALLED AT THE STONE BELL
UNE VUE DE LA FENÊTRE DE LA MAISON « A LA CLOCHE DE PIERRE »
VEDUTA DALLA FINESTRA DELLA CASA «ALLA CAMPANA DI PIETRA»
VISTA DESDE LA VENTANA DE LA CASA «DE LA CAMPANA DE PIEDRA»

- URČENÍ ČASU V DLAŽBĚ NÁMĚSTÍ
- ZEITBESTIMMUNG IM PFLASTER DES ALTSTÄDTER RINGS
- INDICATION OF THE TIME IN THE PAVING OF THE SQUARE
- L'INDICATION DE L'HEURE SUR LES PAVÉS DE LA PLACE
- L'ORA SUL LASTRICATO DELLA PIAZZA
- DETERMINACIÓN DE LA HORA SOBRE EL PAVIMENTO DE LA PLAZA

STARÁ LÉKÁRNA NA MALÉM NÁMĚSTÍ
RÁNO NA STAROMĚSTSKÉM NÁMĚSTÍ

ALTE APOTHEKE AUF DEM KLEINEN RING
MORGEN AUF DEM ALTSTÄDTER RING

THE OLD PHARMACY IN THE LITTLE SQUARE
MORNING IN OLD TOWN SQUARE

VIEILLE PHARMACIE DE LA PETITE PLACE
LA PLACE DE LA VIEILLE VILLE AU POINT DU JOUR

LA VECCHIA FARMACIA NELLA PIAZZA PICCOLA
DI MATTINA NELLA PIAZZA DELLA CITTÀ VECCHIA

VIEJA FARMACIA EN LA PLAZA MENOR
UNA MAÑANA EN LA PLAZA DE LA CIUDAD VIEJA

- STŘÍBRNÁ ULIČKA
- DAS GÄSSCHEN STŘÍBRNÁ ULIČKA
- STŘÍBRNÁ STREET
- RUELLE STŘÍBRNÁ
- LA VIUZZA STŘÍBRNÁ
- LA CALLEJUELA STŘÍBRNÁ

U DIVADLA NA ZÁBRADLÍ
BEIM THEATER AM GELÄNDER
BY THE THEATRE CALLED ON THE BALUSTRADE
PRÈS DU THÉÂTRE SUR LA BALUSTRADE
NEI DINTORNI DEL TEATRO «SULLA BALAUSTRA»
EL TEATRO «LA BARANDA»

■ STAROMĚSTSKÁ MOSTECKÁ VĚŽ (KAREL IV. A VÁCLAV IV.)
■ ALTSTÄDTER BRÜCKENTURM (KARL IV. UND WENZEL IV.)
■ THE OLD TOWN BRIDGE TOWER (CHARLES IV AND VÁCLAV IV)
■ LA TOUR DU PONT DE LA VIEILLE VILLE (CHARLES IV ET VENCESLAS IV)
■ LA CITTÀ VECCHIA, LA TORRE DEL PONTE (CARLO IV E VENCESLAO IV)
■ LA TORRE DEL PUENTE EN LA CIUDAD VIEJA (CARLOS IV Y VENCESLAO IV)

MALÁ STRANA

Jestliže je Staré Město odedávna městem živým, plným obchodů a dílen, je Malá Strana odjakživa menší částí Prahy, je to místo tiché, zvedající se od břehů vltavských vzhůru k Hradčanům. Od Starého Města nedělí Malou Stranu jenom Vltava, ale ještě navíc její úzké rameno, jež od nepaměti slulo Čertovka. Voda teče mezi domy, stojícími po obou stranách, takže se tomu místu říká Pražské Benátky.

Domy zde mají svá starodávná znamení, je tu mnoho dřívějších šlechtických paláců v blízkosti rozlehlého náměstí, jež zdobí jeden z nejkrásnějších pražských chrámů, řečený Mikulášský, se svou zelenkavou měděnou kupolí. V blízké uličce bývala starodávná sněmovna a mnohý palác v okolí byl už dávno proměněn v cizí vyslanectví. Tu a tam se mezi domy uchytila malá zahrádka. Na ostrůvku Kampě se opět pořádá v aleji akátů horlivě vyhledávaný hrnčířský trh. Právě tak jsou pilně navštěvovány malostranské hospůdky a vinárničky. Nerudova ulice se známým domem U dvou sluncců stoupá k Hradu. Na Malé Straně se lidé ještě znají, je to malebné městečko se svéráznými figurkami. Jako by se tu čas zastavil.

Malá Strana je starobylý šperk na šíji krásné Prahy, jež se právem zove Caput regni, Hlava království.

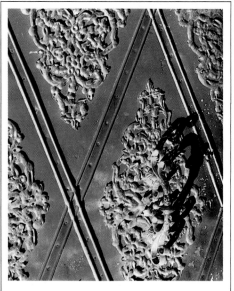

DIE KLEINSEITE

Wenn die Altstadt seit jeher eine Stadt voll Leben, mit Geschäften und Werkstätten war und ist, so ist die Kleinseite schon immer ein kleiner, stiller Teil Prags gewesen, der sich vom Ufer der Vltava hinauf zur Burg erhebt. Von der Altstadt trennt die Kleinseite nicht nur der Fluß, sondern auch ein schmaler Arm, der von alters her Čertovka genannt wird. Das Wasser fließt hier zwischen bis zum Flußarm hinabreichenden Häusern, so daß diese Lokalität den Namen Prager Venedig trägt.

Die Häuser haben hier alte Hauszeichen, viele Adelspaläste stehen in der Umgebung eines großen Marktplatzes, den eine der schönsten Prager Kirchen, die St.-Nikolaus-Kirche mit ihrer grünspanbedeckten Kupferkuppel, schmückt. In einem der nahen Gäßchen tagte einst der Landtag, viele der Paläste sind bereits seit langem der Sitz ausländischer Botschaften. Da und dort findet man zwischen den Häusern ein kleines Gärtchen. Auf der Insel Kampa findet heute noch in einer Akazienallee ein beliebter Töpfermarkt statt. Stark besucht sind die Kleinseitner Gaststätten und Weinstuben. Die Neruda-Gasse mit ihrem bekannten Haus Zu den zwei Sonnen steigt steil zur Burg empor.

Hier auf der Kleinseite kennen einander die Menschen noch, sie ist ein malerisches Städtchen mit ausdrucksvollen, typischen Figürchen ihrer Bewohner. Es ist, als ob die Zeit hier zum Stillstand gekommen wäre.

Die Kleinseite ist wie ein altes Schmuckstück am Nacken des schönen Prag, das mit Recht den Namen Caput regni, Kopf des Königreichs, trägt.

THE LITTLE QUARTER

While the Old Town has always been a lively town, full of trade and work, the Little Quarter has for ever been a smaller part of Prague. It is a quiet place rising from the banks of the Vltava to Hradčany. Apart from the Vltava itself, the Old Town is also separated from the Little Quarter by its narrow branch called Čertovka (The Devil's Stream) since time immemorial. Its water flows between the houses lining both its banks and so this locality is called the Prague Venice.

The houses here have ancient house signs and there are many former palaces of the nobility in the vicinity of the large square, adorned by one of Prague's most beautiful churches, consecrated to St. Nicholas and topped with a copper cupola with a green patina. The Old Diet once stood in a nearby street and many palaces in the environs have long since been converted into foreign embassies. Here and there a small garden has survived among the houses. A very popular pottery market still takes place in an avenue of acacia trees on Kampa Island. The little ale-houses and wine taverns in the Little Quarter are also highly frequented. Nerudova Street, where the well-known house called At the Two Suns stands, rises to the Castle.

In the Little Quarter people are still mutually acquainted. It is a picturesque little town with characteristic figures. Time seems to have come to a standstill here.

The Little Quarter is an ancient jewel on the neck of beautiful Prague, which is rightly called Caput regni, the Head of the Kingdom.

LE PETIT CÔTÉ

Si la Vieille Ville, depuis toujours, est une cité animée, pleine de magasins et d'ateliers, Malá Strana — le Petit Côté — est un quartier calme qui monte de la rive de la Vltava jusqu'au Château. Malá Strana est séparée de la Vieille Ville non seulement par la Vltava, mais aussi par son bras étroit nommé Čertovka, la Diablesse. L'eau coule entre des maisons qui la bordent des deux côtés et ainsi cet endroit est appelé « Venise de Prague ».

Les maisons ici portent des enseignes très anciennes ; de nombreux palais aristocratiques se trouvaient à proximité de la vaste place Malostranské, ornée de l'une des églises les plus magnifiques de Prague, Saint-Nicolas, avec sa coupole de cuivre verdâtre. Dans une ruelle toute proche, l'ancien parlement avait son siège et plusieurs des palais dans les environs ont été transformés, depuis longtemps, en ambassades étrangères. Çà et là, des jardinets tout petits s'abritent entre les maisons. Sous les acacias de la petite île de Kampa, une foire à la poterie, très fréquentée, continue à être organisée même de nos jours. Les petites brasseries et tavernes de Malá Strana sont visitées avec une assiduité non moins grande. La rue Neruda, où se trouve la célèbre maison « Aux deux soleils », grimpe vers le Château.

A Malá Strana, les gens se connaissent encore entre eux : c'est une petite ville charmante peuplée de personnages pittoresques. Comme si le temps s'y était arrêté.

Prague-la-Belle est en droit d'être nommée Caput regni, la « Tête du Royaume », et Malá Strana est comme un joyau précieux sur sa gorge.

PARTE PICCOLA

Se la Città Vecchia fu sempre un quartiere vivo, pieno di botteghe e di laboratori artigianali, la Parte Piccola è davvero piccola ed anche silenziosa. Giace sul pendio che va dalla riva del fiume verso Hradčany ed è divisa dalla Città Vecchia non solo dal fiume Moldava, ma anche da una sua stretta ramificazione chiamata, da tempi immemorabili, Čertovka, ovvero Posto del diavolo. L'acqua scorre tra le case costruite sulle due rive e perciò questo angolo viene chiamato la «Venezia di Praga».

Le case portano alcuni simboli vecchissimi. Nelle vicinanze della vasta piazza adornata da una delle più belle catedrali praghesi, ella di San Nicola, con la cupola di verderame, si trovano molti palazzi signorili. In una stradetta poco lontana una volta c'era l'antica sede delle riunioni degli Stati generali e nei numerosi palazzi che si trovano nei dintorni da tempo si sono insediate le ambasciate. Non è caso insolito che qua e là tra le case si veda un piccolo giardino. Sull'isoletta chiamata Kampa, in un viale di acacie, ancora oggi c'è il mercato di vasellame. In questo quartiere la gente non visita solo il mercato, ma anche le piccole osterie e i ristoranti. Al castello si arriva seguendo la via Neruda, lungo la quale si trova la nota casa «Ai due soli».

Gli abitanti di «Malá Strana» ancora oggi si conoscono tra di loro. Il quartiere è come se fosse una città a sé, pittoresca e dai personaggi molto caratteristici. Sembra addirittura che qui il tempo si sia fermato.

«Malá Strana» è un gioiello antico sul collo della città di Praga chiamata con diritto «Caput regni».

MALÁ STRANA

Si la Ciudad Vieja es desde antaño un sector de movimiento, pleno de comercios y talleres, Malá Strana siempre fue de menores dimensiones, barrio tranquilo que se eleva desde las riberas del Moldava hacia la colina del Castillo. Pero entre ambos barrios no está solamente el río, sino también un angosto brazo que desde tiempos inmemoriales se denomina «Canal del Diablo» o Čertovka. Aquí las aguas pasan entre las casas, de ahí que el rincón suela llamarse «Venecia de Praga».

Las casas se distinguen por emblemas característicos, numerosos palacios de la nobleza se levantan en las cercanías de una amplia plaza dominada por uno de los templos más bellos de Praga, el de Nicolás, con su cúpula revestida de cobre verdoso. Muy cerca, estaba la antigua Dieta y no pocos palacios vecinos fueron hace tiempo convertidos en sedes diplomáticas. Entre las casas, cuando restaba algún espacio, encontraron aplicación los pequeños jardines. En el islote de Kampa hasta hoy tienen lugar, bajo las acacias, ferias de alfarería que gozan de gran éxito. También suelen frecuentarse en Malá Strana sus tabernas y vinerías. La calle Nerudova, con la célebre casa «de los Dos Soles», asciende luego hacia el Castillo.

En Malá Strana, hasta hoy pueblo pintoresco, los vecinos se conocen y viven entre ellos personajes simpáticos. Es como si el tiempo se hubiera detenido.

Malá Strana, vieja joya que adorna la garganta de la bella Praga, ciudad que ha ganado el título de «Caput Regni», o sea, «capital del Reino».

PODVEČER NA KARLOVĚ MOSTĚ
ABENDDÄMMERUNG AUF DER KARLSBRÜCKE
EARLY EVENING ON CHARLES BRIDGE
CRÉPUSCULE SUR LE PONT CHARLES
CREPUSCOLO SUL PONTE CARLO
EL CREPÚSCULO SOBRE EL PUENTE DE CARLOS

V MÍŠEŇSKÉ ULICI
IN DER GASSE MÍŠEŇSKÁ ULICE
IN MÍŠEŇSKÁ STREET
RUE MÍŠEŇSKÁ
NELLA VIA MÍŠEŇSKÁ
LA CALLE MÍŠEŇSKÁ

STŘECHY V MOSTECKÉ ULICI
DÄCHER IN DER MOSTECKÁ ULICE
ROOFTOPS IN MOSTECKÁ STREET
LES TOITS DE LA RUE MOSTECKÁ
TETTI NELLA VIA MOSTECKÁ
LOS TECHOS DE LA CALLE MOSTECKÁ

HRNČÍŘSKÝ TRH NA KAMPĚ
TÖPFERMARKT AUF DER INSEL KAMPA
THE POTTERY MARKET ON KAMPA ISLAND
MARCHÉ AUX POTERIES À KAMPA
IL MERCATO DI VASELLAME A KAMPA
MERCADO DE ALFAREROS DE KAMPA

POD KARLOVÝM MOSTEM
UNTER DER KARLSBRÜCKE
BELOW CHARLES BRIDGE
SOUS LE PONT CHARLES
SOTTO IL PONTE CARLO
BAJO EL PUENTE DE CARLOS

DŮM U TŘÍ PŠTROSŮ
HAUS ZU DEN DREI STRAUSSEN
THE HOUSE CALLED AT THE THREE OSTRICHES
MAISON AUX TROIS AUTRUCHES
LA CASA «AI TRE STRUZZI»
LA CASA «DE LOS TRES AVESTRUCES»

DETAIL MALÉ MOSTECKÉ VĚŽE
DETAIL DES KLEINEN BRÜCKENTURMS
DETAIL OF THE LITTLE BRIDGE TOWER
DÉTAIL DE LA PETITE TOUR DU PONT
PARTICOLARE DELLA PICCOLA TORRE DEL PONTE
UN DETALLE DE LA PEQUEÑA TORRE DEL PUENTE

- ZIMNÍ KAMPA
- DIE INSEL KAMPA IM WINTER
- KAMPA ISLAND IN WINTER
- KAMPA EN HIVER
- KAMPA D'INVERNO
- KAMPA EN INVIERNO

U stanice metra Malostranská - Malostranské náměstí s Hradem - Valdštejnský palác - V kostele sv. Tomáše - Interiér Sv. Mikuláše - Nové zámecké schody - Čertovka - Z Nerudovy ulice - Jezulátko - Nostický palác - V Tomášské ulici - Kostel P. Marie pod řetězem →Karlův most se Sv. Mikulášem

Bei der Metrostation Malostranská - Kleinseitner Ring mit der Burg - Waldstein-Palast - In der St.-Thomas-Kirche - Interieur der St.-Nikolaus-Kirche - Neue Schloßstiege - Flußarm Čertovka - In der Nerudova ulice - Prager Jesuskind - Nostitz-Palast - Die Gasse Tomášská ulice - Kirche der Jungfrau Maria unter der Kette → Karlsbrücke mit der St.-Nikolaus-Kirche

By Malostranská Station of the underground railway - The square Malostranské náměstí with the Castle - Wallenstein Palace - St. Thomas's Church - The Interior of St. Nicholas's Church - The New Castle Steps - Čertovka - From Nerudova Street - The Child Jesus - Nosticz Palace - In Tomášská Street - The Church of Our Lady Below the Chain → Charles Bridge with St. Nicholas's Church

Près de la station de métro Malostranská - Place Malostranské náměstí avec, au fond, le Château - Palais Wallenstein - Dans l'église Saint-Thomas - L'intérieur de Saint-Nicolas - L'Escalier neuf du Château - Čertovka - Rue Neruda - Le petit Jésus de Prague - Palais Nostic - Rue Tomášská - L'église Notre-Dame-sous-la-Chaîne → Le pont Charles avec Saint-Nicolas

Vicino alla stazione della metropolitana Malostranská - La piazza di Malá Strana con il Castello - Il Palazzo di Wallenstein - Nella chiesa di S. Tommaso - Interno di S. Nicola - La Nuova scalinata verso il Castello - Čertovka - Nella via Neruda - Gesù bambino - Il palazzo dei Nostic - Nella via Tomášská - La Chiesa della Vergine Maria sotto la catena → Il ponte Carlo con S. Nicola

Junto a la estación del metro «Malostranská» - La Plaza de Malá Strana y el Castillo - El Palacio Valdštejn - En la iglesia de Santo Tomás - Interior de San Nicolás - La Nueva Escalinata del Palacio - El Canal Čertovka - En la calle de Neruda - El Niño Jesús de Praga - El Palacio Nostic - En la calle Tomášská - Iglesia de Nuestra Señora bajo la Cadena → El Puente de Carlos y el templo de San Nicolás

- ZVĚDAVÉ ZRCADLO NA KAMPĚ
- EIN NEUGIERIGER SPIEGEL AUF DER INSEL KAMPA
- A CURIOUS MIRROR ON KAMPA ISLAND
- UN MIROIR CURIEUX À KAMPA
- LO SPECCHIO CURIOSO DI KAMPA
- UN ESPEJO CURIOSO DE KAMPA

PRŮCHOD NA NOVÉ ZÁMECKÉ SCHODY
DURCHGANG ZUR NEUEN SCHLOSSSTIEGE
THE PASSAGE LEADING TO THE NEW CASTLE STEPS
PASSAGE DONNANT SUR L'ESCALIER NEUF DU CHÂTEAU
LA NUOVA SCALINATA DEL CASTELLO
PASAJE CONDUCENTE A LA NUEVA ESCALINATA DEL PALACIO

- NERUDOVA ULICE
- DIE GASSE NERUDOVA ULICE
- NERUDOVA STREET
- RUE NERUDA
- LA VIA NERUDA
- LA CALLE DE NERUDA

- DETAIL KAŠNY NA TRŽIŠTI
- DETAIL EINES BRUNNENS IN DER STRASSE TRŽIŠTĚ
- DETAIL OF THE FOUNTAIN IN THE STREET TRŽIŠTĚ
- DÉTAIL DE LA FONTAINE, RUE TRŽIŠTĚ
- PARTICOLARE DELLA FONTANA DELLA VIA TRŽIŠTĚ
- DETALLE DE LA FUENTE DE LA CALLE TRŽIŠTĚ

ŠPORKOVA ULICE
DIE GASSE ŠPORKOVA ULICE
ŠPORKOVA STREET
RUE ŠPORK
LA VIA ŠPORK
LA CALLE ŠPORK

SCHODIŠTĚ MALOSTRANSKÉHO DOMU
TREPPENHAUS EINES KLEINSEITNER HAUSES
THE STAIRCASE OF A HOUSE IN THE LITTLE QUARTER
ESCALIER D'UNE MAISON À MALÁ STRANA
LA SCALINATA DI UNA CASA DI MALÁ STRANA
ESCALERA DE UNA CASA DE MALÁ STRANA

V THUNOVSKÉ ULICI
IN DER GASSE THUNOVSKÁ ULICE
IN THUNOVSKÁ STREET
RUE THUN
LA VIA DI THUN
LA CALLE THUN

NA MALOSTRANSKÉM NÁMĚSTÍ
AUF DEM KLEINSEITNER RING
IN THE SQUARE MALOSTRANSKÉ NÁMĚSTÍ
DANS LA PLACE MALOSTRANSKÉ NÁMĚSTÍ
PER LA PIAZZA DI MALÁ STRANA
EN LA PLAZA DE MALÁ STRANA

NA ROHU VELKOPŘEVORSKÉHO NÁMĚSTÍ
AN DER ECKE DES PLATZES VELKOPŘEVORSKÉ NÁMĚSTÍ
ON THE CORNER OF THE SQUARE VELKOPŘEVORSKÉ NÁMĚSTÍ
AU COIN DE LA PLACE DES PRIEURS
UN ANGOLO DELLA PIAZZA DEL GRANPRIORATO
ESQUINA DE LA PLAZA DEL GRAN PRIOR

■ VĚŽE SV. MIKULÁŠE A STRAHOVSKÉHO KLÁŠTERA
■ TÜRME DER ST.-NIKOLAUS-KIRCHE UND DES STIFTS STRAHOV
■ THE STEEPLES OF ST. NICHOLAS'S CHURCH AND STRAHOV MONASTERY
■ LES CLOCHERS DE SAINT-NICOLAS ET DU MONASTÈRE DE STRAHOV
■ LE CUPOLE DELLA CHIESA DI S. NICOLA E DEL MONASTERO DI STRAHOV
■ LAS TORRES DE SAN NICOLÁS Y DEL MONASTERIO DE STRAHOV

Z LÁZEŇSKÉ ULICE
IM GÄSSCHEN LÁZEŇSKÁ ULICE
IN LÁZEŇSKÁ STREET
RUE LÁZEŇSKÁ
LA VIA LÁZEŇSKÁ
EN LA CALLE LÁZEŇSKÁ

- SUŠENÍ PRÁDLA
- HIER WIRD WÄSCHE GETROCKNET
- DRYING OF WASHING
- LE SÉCHAGE DU LINGE
- LA BIANCHERIA SI STA ASCIUGANDO
- SECANDO LA ROPA

- ZIMNÍ KAMPA
- DIE INSEL KAMPA IM WINTER
- KAMPA ISLAND IN WINTER
- KAMPA EN HIVER
- L'ISOLA DI KAMPA D'INVERNO
- KAMPA EN INVIERNO

PRAŽSKÝ HRAD A HRADČANY

Jestli jsme se na samém počátku našeho putování obdivovali z vltavského nábřeží obrazu Hradčan, nyní užasle putujeme nahoře u chrámu Svatovítského ve stínu gotických věží a průchodů, jimiž se dostaneme na tichá nádvoří. Jejich historické budovy skrývají Vladislavský sál i sál Španělský. Celý svět vnímáme barevnými chrámovými okny. Na jediném místě je nashromážděno mnoho památek i chrámů, jsou zde i zbytky těch nejdávnějších, jejichž základy lze ještě spatřit v podzemí a nad nimiž se vypíná chrám nový, Svatovítský, s bohatě zdobenou starou kaplí Svatováclavskou. Opodál stojí románská bazilika svatého Jiří s věžemi z bílého kamene, vížící se k samému počátku panování rodu Přemyslova na Pražském hradě. V bývalém klášteře i v podzemí je umístěna překrásná galérie nejstaršího českého výtvarného umění až po baroko.

Do areálu Hradu vstupujeme mřížovou bránou střeženou hradní stráží, projdeme honosnou bránou Matyášovou, o něco dále mineme sochu svatého Jiří ve stínu obelisku. Starý královský palác je trvalou výstavní síní, bývalé Purkrabství je proměněno v Dům československých dětí, opodál jsou části opevnění, Bílá i Černá věž, jež sloužily jako vězení. Posléze vejdeme do té nejužší a nejmenší uličky, řečené Zlaté, k níž se víže stará pověst, že zde pobývali alchymisté císaře Rudolfa. Ve skutečnosti zde bydlila hradní stráž. Domky stojí na okraji Jeleního příkopu a jsou tak malé, že snadno dosáhneme na jejich střechy.

Když opustíme areál Hradu, zastavíme se u Lorety. Z její věže zaznívá něžná zvonkohra, dotýkající se poutníkova srdce.

DIE PRAGER BURG UND HRADČANY

Wenn wir zu Beginn unseres Rundgangs vom Vltava-Quai das Bild der Burg und ihrer Umgebung bewundert haben, so wandern wir nun voll Staunens oben bei der St.-Veits-Kathedrale im Schatten ihrer gotischen Türme. Historische Gebäude bergen hier den Vladislav-Saal und den Spanischen Saal. Die ganze Welt spricht uns durch die Farbfenster der Kathedrale an. An einer einzigen Stelle häufen sich viele Denkwürdigkeiten und Kirchen, man findet hier auch Reste der allerältesten, deren Grundmauern man in der Krypta bewundern kann, über der sich der neue St.-Veits-Dom mit der reich geschmückten St.-Wenzels-Kapelle erhebt. Unweit steht die romanische St.-Georgs-Basilika mit ihren weißen Steintürmen, deren Ursprung in die Anfänge der Herrschaft des Přemyslidengeschlechts auf der Prager Burg zurückreicht. Im ehemaligen Kloster findet man eine wunderschöne Galerie der ältesten böhmischen bildenden Kunst bis zur Barockzeit.

Das Burgareal betreten wir durch ein von Soldaten der Burgwache flankiertes Gittertor, wir passieren das prunkvolle Matthiastor, kommen an einer St.-Georgs-Statue, die im Schatten eines großen Obelisks steht, vorbei. Der Alte Königspalast ist eine ständig sehenswerte Ausstellung der Vergangenheit, das ehemalige Burggrafengebäude ist heute das Haus der tschechoslowakischen Kinder. Schließlich betreten wir noch das schmalste und kleinste Gäßchen, das Goldene Gäßchen. Die kleinen Häuschen stehen am Rand des Hirschgrabens und sie sind so klein, daß man mühelos ihre Dächer mit der Hand erreichen kann.

Nach Verlassen des Burgareals noch einen Sprung zum Prager Loreto-Komplex. Von einem Turm erklingen hier die Melodien eines Glockenspiels, die die Herzen der Besucher in ihren Bann ziehen.

PRAGUE CASTLE AND HRADČANY

Having admired the vista of Hradčany from the Vltava embankment at the very beginning of our excursion on foot, we shall now wander in wonder high up by St. Vitus's Cathedral in the shadow of Gothic steeples and the passageways. The historical buildings conceal the Vladislav Hall and the Spanish Hall. We can see the whole world through the coloured windows of the cathedral. Many historical monuments and churches are concentrated in one place and also to be seen here are the remains of the most ancient of them, whose foundations are still visible below ground and above which a new cathedral, St. Vitus's with the old, richly decorated Chapel of St. Wenceslas, rises. A short distance from here stands the Romanesque Basilica of St. George with white stone steeples, connected with the very beginning of the period of rule of the Přemyslid dynasty at Prague Castle. Situated in the former monastery is a magnificent gallery of the oldest Czech creative art up to the Baroque.

We enter the precinct of the castle through a grille-type gate guarded by two castle guards and then continue through the Matthias Gate, passing the statue of St. George in the shadow of an obelisk. The Old Royal Palace has been converted into a permanent exhibition hall and the former Burgrave's Residence is now the House of Czechoslovak Children. Finally we come to the narrowest and smallest lane, called the Golden Lane. The tiny houses stand on the edge of the Stag Moat and they are so small that we can easily reach their roofs.

On leaving the Castle grounds we shall stop at the Loretto from whose steeple the sweet tones of a carillon ring out, touching the pilgrim's heart.

LE CHÂTEAU DE PRAGUE ET HRADČANY

■ Si, au début de notre excursion, nous admirions le panorama du Château depuis les quais de la Vltava, maintenant nous avançons, émerveillés, là-haut, au pied de la cathédrale Saint-Guy, dans l'ombre de ses tours gothiques. Derrière les façades des édifices historiques se cachent la Salle Vladislav et la Salle espagnole. Le monde entier se fond dans les vitraux multicolores de Saint-Guy. A un seul endroit, de nombreux monuments historiques et églises se sont accumulés ; même aujourd'hui, nous pouvons voir dans le sous-sol les fondations des églises primitives, sur lesquelles se dresse la nouvelle cathédrale, Saint-Guy, avec la merveilleuse chapelle Saint-Venceslas. Non loin de là s'élève, avec ses tours de pierre blanche, la basilique romane Saint-Georges dont les origines remontent aux débuts du règne des Přemyslides au Château de Prague. Dans l'ancien couvent, nous pouvons visiter une galerie remarquable de l'art plastique tchèque depuis ses origines jusqu'à l'époque baroque.

Nous entrerons dans le Château d'abord par une porte en fer forgé, surveillée par des gardes du Château et ensuite par la grandiose porte Mathias ; nous verrons, dans l'ombre de l'Obélisque, la statue de Saint Georges. Le vieux palais royal sert maintenant de salle d'exposition ; l'ancien palais du Burgrave est devenu Maison des Enfants tchécoslovaques. Ensuite, nous prendrons la ruelle la plus étroite et la plus minuscule, dite la Ruelle d'Or. Les maisonnettes sont bâties sur le bord même du Fossé des Cerfs et elles sont tellement petites que nous pourrons facilement toucher leurs toits.

Après avoir quitté le Château, nous nous arrêterons devant la Lorette. La douce sonnerie de son carillon émeut, à chaque fois, le coeur du passant...

IL CASTELLO DI PRAGA E HRADČANY

■ All'inizio del nostro vagabondare per la città abbiamo ammirato, dal lungofiume, il panorama di Hradčany e ora non possiamo che essere meravigliati nel camminare attorno alla Cattedrale di S. Vito, tra le ombre delle sinuose torri gotiche. Gli edifici storici nascondono la Sala di Vladislao e la Sala spagnola. Al di là delle vetrate colorate si stende un mondo ricchissimo fatto di monumenti e di chiese antiche, le cui fondamenta ancora oggi si trovano sotto la Cattedrale di San Vito con la sua cappella di San Venceslao, riccamente adornata. Vicino alla Cattedrale c'è la basilica romanica di San Giorgio con i campanili in pietra bianca. La basilica è storicamente legata al periodo in cui la stirpe dei Premislidi iniziò ad insediare il proprio governo nel Castello di Praga. Nel monastero è oggi installata una splendida galleria d'arte medievale e d'arte barocca ceca.

All'area del Castello accediamo tramite una cancellata sorvegliata dalle guardie del castello. Passiamo quindi sotto la sontuosa porta di Mattia, nell'ombra dell'obelisco vediamo la statua di San Giorgio. Il Vecchio palazzo reale è stato trasformato in sala d'esposizione. I locali che una volta erano sede del burgravio ospitano oggi la «Casa dei bambini cecoslovacchi». Entriamo infine nella stradina veramente più stretta e più piccola di tutte, detta «Viuzza d'oro». La casette si trovano proprio sull'orlo della Fossa dei cervi e sono così piccole che con facilità possiamo toccare il tetto con la mano.

Abbandoniamo ora l'area del Castello e sostiamo un poco vicino a Loreta. Dalle sue torri si sente una dolce melodia di campane di fronte alla quale il cuore non può che aprirsi alla commozione.

EL CASTILLO DE PRAGA Y HRADČANY

■ Si al comienzo de nuestras andanzas habíamos admirado desde los muelles del Moldava el panorama de Hradčany, ahora recorreremos atónitos los alrededores del templo de San Vito, al pie de las torres góticas y a través de pasajes que nos conducirán a la calma de los patios. Los edificios históricos esconden las salas de Vladislao y Española. Veremos el mundo a través de los cromáticos vitrales del templo. En un solo espacio se han reunido un gran número de monumentos arquitectónicos sacros y profanos, tenemos aquí los restos de los más antiguos, cuyas fundaciones pueden verse en el subsuelo del templo nuevo, consagrado a San Vito y que luce en su interior la vieja Capilla de San Venceslao, ricamente decorada. No lejos está la basílica románica de San Jorge, con sus torres de piedra blanca y que recuerda los mismos orígenes del régimen de la dinastía premislita en el Castillo de Praga. El antiguo monasterio y su subsuelo guardan una hermosa galería de arte checo antiguo, que abarca hasta el período barroco.

Entramos al Castillo por una puerta de hierro vigilada por la Guardia de Honor y atravesamos la monumental Puerta de Matías para llegar, poco después, a la fuente con la figura de San Jorge y a la sombra del Obelisco. El antiguo Palacio Real abriga una exposición permanente. La vieja Casa del Burgrave se ha transformado en Casa de los Niños. Por fin llegamos a la callejuela más angosta y diminuta, llamada «del Oro»; dice la leyenda que aquí residían los alquimistas del emperador Rodolfo. La verdad es que sólo albergaba a la guardia del Castillo. Las casitas bordean el Foso de los Ciervos y son tan reducidas, que fácilmente tocamos el techo.

Al salir del Castillo, no dejaremos de hacer una parada en Loreta. Su campanario acariciará el corazón del peregrino con la delicada melodía de su carrillón.

- GOTICKÝ DETAIL ZE SV. VÍTA
- GOTISCHES DETAIL VOM ST.-VEITS-DOM
- A GOTHIC DETAIL OF ST. VITUS'S CATHEDRAL
- DÉTAIL GOTHIQUE DE SAINT-GUY
- PARTICOLARE GOTICO DI S. VITO
- UN DETALLE GÓTICO DE SAN VITO

PODVEČERNÍ SILUETA SV. VÍTA
SILHOUETTE DES ST.-VEITS-DOMS IN DER ABENDDÄMMERUNG
THE SILHOUETTE OF ST. VITUS'S CATHEDRAL IN EARLY EVENING
LA SILHOUETTE DE SAINT-GUY AU CRÉPUSCULE
LA SAGOMA DI S. VITO A CREPUSCULO
LA SILUETA DE SAN VITO EN EL CREPÚSCULO

VSTUP MATYÁŠOVOU BRANOU
DAS MATTHIASTOR
THE MATTHIAS GATE
LA PORTE MATHIAS
LA PORTA DI MATTIA
LA PUERTA DE MATÍAS

DETAIL KAŠNY NA II. NÁDVOŘÍ
DETAILS EINES BRUNNENS AUF DEM II. BURGHOF
DETAIL OF THE FOUNTAIN IN THE SECOND COURTYARD
DÉTAIL DE LA FONTAINE, IIᵉ COUR DU CHÂTEAU
PARTICOLARE DELLA FONTANA NEL SECONDO CORTILE
DETALLE DE LA FUENTE DEL SEGUNDO PATIO

100 / 10

DETAIL KAŠNY NA II. NÁDVOŘÍ
DETAILS EINES BRUNNENS AUF DEM II. BURGHOF
DETAIL OF THE FOUNTAIN IN THE SECOND COURTYARD
DÉTAIL DE LA FONTAINE, IIe COUR DU CHÂTEAU
PARTICOLARE DELLA FONTANA NEL SECONDO CORTILE
DETALLE DE LA FUENTE DEL SEGUNDO PATIO

- Z TRIFÓRIA VE SV. VÍTU (KAREL IV.)
- KARL IV. IM TRIFORIUM DES ST.-VEITS-DOMS
- THE TRIFORIUM IN ST. VITUS'S CATHEDRAL (CHARLES IV)
- DANS LE TRIFORIUM DE SAINT-GUY (CHARLES IV)
- TRIFORIO DI S. VITO (CARLO IV)
- DEL TRIFORIO DE SAN VITO (CARLOS IV)

VÝCHODNÍ LOĎ KATEDRÁLY
OSTSCHIFF DES DOMS
THE EASTERN NAVE OF THE CATHEDRAL
LA NEF ORIENTALE DE LA CATHÉDRALE
LA NAVE ORIENTALE DELLA CATTEDRALE
NAVE ORIENTAL DE LA CATEDRAL

- SVATOVÁCLAVSKÁ KAPLE
- ST.-WENZELS-KAPELLE
- ST. WENCESLAS'S CHAPEL
- CHAPELLE SAINT-VENCESLAS
- LA CAPPELLA DI S. VENCESLAO
- LA CAPILLA DE SAN VENCESLAO

■ PERSPEKTIVA GOTIKY
■ PERSPEKTIVE DER GOTIK
■ A GOTHIC PERSPECTIVE
■ PERSPECTIVE GOTHIQUE
■ LA PROSPETTIVA DEL GOTICO
■ PERSPECTIVA GÓTICA

108 / 109

KATEDRÁLA Z KRÁLOVSKÉHO PALÁCE
BLICK ZUM DOM VOM KÖNIGSPALAST
THE CATHEDRAL FROM THE ROYAL PALACE
LA CATHÉDRALE VUE DU PALAIS ROYAL
LA CATTEDRALE VISTA DALLA PARTE DEL PALAZZO REALE

OPĚRNÝ SYSTÉM KATEDRÁLY
STÜTZPFEILERSYSTEM DES DOMS
THE SUPPORTING SYSTEM OF THE CATHEDRAL
LE SYSTÈME DES PILIERS DE SOUTIEN DE LA CATHÉDRALE
I CONTRAFFORTI DELLA CATTEDRALE

VSTUP DO DOMU DĚTÍ
EINGANG IN DAS HAUS DER KINDER
THE ENTRANCE TO THE HOUSE OF CHILDREN
L'ENTRÉE DE LA MAISON DES ENFANTS
ENTRATA NELLA «CASA DEI BAMBINI
ENTRADA DE LA CASA DE LOS NIÑOS

JIŘSKÁ ULICE
DIE GASSE JIŘSKÁ ULICE
JIŘSKÁ STREET
RUE JIŘSKÁ
LA VIA JIŘSKÁ
LA CALLEJUELA JIŘSKÁ

114 / 115

■ KAPUCÍNSKÁ ULICE
■ DIE GASSE KAPUCÍNSKÁ ULICE
■ KAPUCÍNSKÁ STREET
■ RUE KAPUCÍNSKÁ
■ LA VIA KAPUCÍNSKÁ
■ LA CALLE KAPUCÍNSKÁ

CESTOU Z NOVÉHO SVĚTA K LORETĚ
VON DER NEUEN WELT ZUM LORETO-KOMPLEX
THE WAY FROM THE NEW WORLD TO THE LORETTO
EN ALLANT DU NOUVEAU MONDE À LA LORETTE
DAL MONDO NUOVO A LORETA
YENDO DEL NUEVO MUNDO HACIA LORETA

NA HRADČANSKÉM NÁMĚSTÍ
DER PLATZ HRADČANSKÉ NÁMĚSTÍ
IN THE SQUARE HRADČANSKÉ NÁMĚSTÍ
PLACE DE HRADČANY
NELLA PIAZZA DI HRADČANY
LA PLAZA DE HRADČANY

HOSTINEC U ČERNÉHO VOLA
GASTSTÄTTE ZUM SCHWARZEN OCHSEN
THE ALE-HOUSE CALLED AT THE BLACK OX
LA BRASSERIE AU BŒUF NOIR
L'OSTERIA «AL BUE NERO»
LA TABERNA «EL BUEY NEGRO»

→
PODVEČER V ULICI KE HRADU
ABENDDÄMMERUNG IN DER GASSE KE HRADU
EARLY EVENING IN THE STREET CALLED KE HRADU
UNE FIN D'APRÈS-MIDI, RUE KE HRADU
CREPUSCOLO NELLA STRADA KE HRADU
CREPÚSCULO EN LA CALLEJUELA KE HRADU

■ NA HRADČANSKÉM NÁMĚSTÍ
■ AUF DEM PLATZ HRADČANSKÉ NÁMĚSTÍ
■ IN THE SQUARE HRADČANSKÉ NÁMĚSTÍ
■ PLACE DE HRADČANY
■ NELLA PIAZZA DI HRADČANY
■ LA PLAZA DE HRADČANY

- VSTUP DO HRADU
- EINGANG IN DIE BURG
- THE ENTRANCE TO THE CASTLE
- L'ENTRÉE DU CHÂTEAU
- ENTRATA AL CASTELLO
- LA ENTRADA DEL CASTILLO

ZAHRADY A PARKY

Praha je město stavěné z kamene a vápna, praví uznale nejstarší cestovatel a obchodník Ibrahím, jenž navštívil Prahu už v 10. století. Ale Praha vyrostla od samého počátku mezi zelenými stráněmi, jež lemovaly Vltavu, stromovím byl porostlý Petřín a všude kolem bylo založeno mnoho zahrad, sadů i parků. Táhly se po svazích, nad nimiž byl vystavěn královský hrad. Tam, kde se dnes rozkládají Vinohrady, byly založeny už ve středověku rozsáhlé vinice. Ty však zaplňovaly i další vhodné svahy, jak o tom svědčí dodnes uchované vinice v Troji. Když se rozhodl vévoda Valdštejn vystavět si na Malé Straně obrovský palác, založil napřed nebývalý park, plný vzácných stromů, květin, ale i soch.

Byly v Praze malé zahrádky vedle kamenných domů a největší pražský klášter na Strahově ležel — a dodnes leží — mezi velkými zahradami. Císař Ferdinand postavil pro svou ženu Annu letohrádek a obklopil jej velkou zahradou. Kníže Kinský založil zahradu, která sahá až k Petřínu, sad byl založen i na celé stráni zvané Letná. Při své návštěvě Prahy žil Mozart na Bertramce ve vile manželů Duškových a koncerty se v zahradě konají dodnes. Na Bílé hoře, kde se roku 1620 strhla tragická bitva, znamenající zánik české samostatnosti, byl kdysi vystavěn zámeček ve tvaru hvězdy — proto se jmenuje Hvězda —, zatímco kolem byl rozsáhlý park. Podobná byla Královská obora, dnes známá jako Stromovka, kde se panstvo kdysi projíždělo na koních, nicméně v neděli patřila k nejoblíbenějším procházkám Pražanů.

Parky jsou místem pro milence: milují Prahu — i sebe — v kvetoucích zahradách.

GÄRTEN UND PARKS

Prag ist eine aus Stein und Mörtel erbaute Stadt, berichtete einst Ibrahím, ein Reisender und Kaufmann, der Prag im 10. Jahrhundert besuchte. Prag wuchs jedoch von seinen Anfängen an zwischen grünen Hängen, die den Fluß Vltava säumten, auf, mit Bäumen war auch der Hügel Petřín bewachsen und überall wurden viele Gärten und Parks angelegt. Auch an den Hängen, über denen die königliche Burg errichtet wurde. Dort, wo heute das Viertel Vinohrady zu finden ist, wurden bereits im Mittelalter ausgedehnte Weinberge (= vinohrady) angelegt. Als sich der Herzog Waldstein entschloß, auf der Kleinseite einen riesigen Palast zu errichten, ließ er zuerst einen schönen Park mit seltenen Bäumen und Blumen, aber auch mit Plastiken, anlegen.

In Prag waren schon immer kleine Gärtchen neben den steinernen Häusern, und das größte Kloster in Strahov lag — und liegt auch noch heute — in großen Gartenanlagen. Fürst Kinský legte einen Garten an, der bis zum Hügel Petřín reicht, einen Park finden wir auch auf dem Letná genannten Hang. Mozart lebte in Prag in der Bertramka genannten Villa des Ehepaars Dušek, in deren Garten noch heute Konzerte veranstaltet werden. Auf dem Weißen Berg, wo im Jahr 1620 die tragische Schlacht ausgetragen wurde, die zum Verlust der tschechischen Selbständigkeit führte, wurde einst ein Lustschloß in der Form eines Sterns — daher sein Name Hvězda (Stern) — erbaut, das von einem ausgedehnten Park umgeben war. Ein großer Naturpark war auch das heute Stromovka (Baumgarten) genannte Königliche Gehege, Schauplatz von Spazierritten der hohen Gesellschaft; an Sonntagen gehörte der Baumgarten jedoch zu den beliebtesten Erholungsorten der Prager.

Die Parks sind für Liebespaare geschaffen: sie lieben Prag — und einander — in blühenden Gärten.

GARDENS AND PARKS

Prague is a city built of stone and limestone — such were the appreciative words of the oldest traveller and merchant Ibrahím, who visited Prague in the 10th century. But Prague grew from its very beginning among the green slopes lining the Vltava, trees adorned Petřín Hill and many gardens and parks were founded all around. They stretched over the slopes and a royal castle was built above them. Already in the Middle Ages large vineyards were founded on the area now covered by the Vinohrady quarter. However, they also existed on other suitable slopes, a fact still witnessed by the preserved vineyards at Troja. When the Duke of Wallenstein decided to build an enormous palace in the Little Quarter, he first founded an unusual park full of rare trees and flowers as well as statues.

There were small gardens next to the stone houses in Prague and the biggest monastery, situated on Strahov, stood—and still stands—amidst large gardens. The Emperor Ferdinand built a summer palace for his consort Anna and surrounded it with a large garden. Count Kinský founded a garden reaching as far as Petřín Hill and a park was also founded on the whole area of the slope called Letná. When in Prague Mozart stayed at the villa of the Dušeks, called Bertramka, and concerts are still held in its garden. Long ago a small château was built in the shape of a star—hence its name Hvězda (Star)—at White Mountain, where in 1620 a tragic battle was waged which put an end to Czech independence. And it was surrounded by a large park. Of a similar nature was the Royal Enclosure, now known as Stromovka, where the nobility once rode their horses. On Sundays, however, it was one of the people of Prague's most popular walks.

Parks are places for lovers: they love Prague—and themselves—in flowering gardens.

LES JARDINS ET LES PARCS

Prague est une ville bâtie de pierre et de chaux, dit avec admiration Ibrahim, premier voyageur et marchand qui visita Prague au Xᵉ siècle. Cependant Prague, depuis ses origines, grandissait entourée des pentes vertes qui côtoient la Vltava ; la colline de Petřín était également couverte d'arbres et partout autour, de nombreux jardins, parcs et vergers furent fondés. Ils s'étendaient même sur le versant au sommet duquel fut construit le palais royal. Là où se trouve aujourd'hui le quartier de Vinohrady, de vastes vignobles furent fondés au moyen-âge. Ils couvraient d'ailleurs de nombreuses autres côtes favorables, comme le prouvent les vignobles de Trója, conservés jusqu'à nos jours. Lorsque le duc Wallenstein décida de construire un palais immense à Malá Strana, il commença par la fondation d'un parc extraordinaire, plein d'arbres et de fleurs rares ainsi que de statues.

Il y avait dans Prague des petits jardins à côté des maisons de pierre et le plus grand monastère de Strahov était — et est encore — entouré de grands jardins. L'empereur Ferdinand a fait construire, pour son épouse Anne, une maison de plaisance et l'environna d'un vaste parc. Le prince Kinský fonda un jardin qui va jusqu'à Petřín ; un verger a couvert également toute la pente de Letná. Dans le jardin de la villa Bertramka où habita Mozart chez les époux Dušek, se donnent encore des concerts. A la Montagne Blanche, là où se déclencha, en 1620, la bataille tragique qui marqua la fin de l'indépendance tchèque, fut bâti un pavillon en forme d'étoile — de là son nom Hvězda, l'Étoile — et tout autour s'étendit un parc immence. Stromovka, ancienne chasse royale où les seigneurs venaient à cheval, est devenue une des promenades du dimanche préférées des Pragois.

Les parcs sont l'endroit de prédilection des amoureux : ils s'aiment — et ils aiment Prague — dans ses jardins fleuris.

GIARDINI E PARCHI

«Praga è una città costruita di pietra e di calce», disse con ammirazione il viaggiatore e commerciante Ibráhím, il primo ad averci dato notizia di questa città avendola visitata nel decimo secolo dopo Cristo. Sin dai suoi inizi la città si estese tra verdi declivi lungo il fiume Moldava. La collina di Petřín era molto alberata e nei dintorni nacquero molti giardini, frutteti e parchi, che si stendevano sui pendii sotto il castello reale. Laddove oggi si trova il quartiere chiamato Vinohrady (Vigne reali) nel medioevo c'erano vasti vigneti. Prima di costruire il suo enorme palazzo a «Malá Strana», il duca di Wallenstein fece prima erigere sul luogo un insolito parco pieno di alberi rari, di fiori e di statue.

A fianco delle case in pietra una volta si trovavano piccoli giardini; il più grande monastero di Praga, quello di Strahov era — ed è ancora oggi — circondato da vasti giardini. Il principe Kinský fece fare un giardino che giunge fino alla collina di Petřín. Un altro giardino è quello che una volta occupava il pendio chiamato Letná. A Praga si trova la villa dei coniugi Dušek, la cosiddetta «Bertramka», nella quale visse Mozart durante il suo soggiorno nella città. Nel giardino che attornia la villa ancora oggi si tengono dei concerti. Sulla Montagna bianca, dove nel 1620 si svolse la tragica battaglia che mise fine alla sovranità della Boemia, è stato costruito un palazzo a forma di stella. Proprio in base a questa particolare forma è stato denominato Hvězda (Stella). Il palazzo e anch'esso circondato da un vasto parco. Molto grande era anche il parco detto «Stromovka», una volta recinto reale per la selvaggina e luogo di maneggio per la nobiltà dell'epoca. Ancora oggi il parco è il posto preferito dai praghesi per le loro passeggiate.

I parchi sono i posti prediletti dagli amanti: nei giardini fioriti si amano amando Praga.

LOS JARDINES Y PARQUES

La ciudad de Praga está hecha de piedra y de cal, decía con admiración el primer viajero y comerciante que la visitó en el s. X. Ibrahim. Pero desde un comienzo Praga creció en medio de colinas boscosas que acompañaban el curso del Moldava, la vegetación cubría Petřín y los espacios circundantes fueron convertidos en jardines, huertos y parques. Se extendieron por las laderas que servían de pedestal al Castillo Real. El nombre del actual barrio de Vinohrady proviene de los grandes viñedos allí fundados en la Edad Media. Pero el cultivo de la vid aprovechó también otras laderas convenientes, un testimonio de lo cual son los viñedos de Troya, hasta hoy conservados. Cuando el duque de Wallenstein (Valdštejn) decidió hacerse construir en Malá Strana un palacio de enormes dimensiones, lo primero que hizo fue fundar un parque notable, rico en árboles exóticos, flores y esculturas.

Las casas de piedra de Praga poseían en general pequeños jardines y el mayor monasterio, el de Strahov, estaba rodeado — y aún lo está — de amplios jardines. El emperador Ferdinando hizo construir para su esposa Anna un palacete, también en medio de un espacioso jardín. El príncipe Kinský fundó un inmenso jardín que llega hasta la colina de Petřín. Mozart, durante sus estadías en Praga, vivió en la villa de los Dušek en Bertramka, en la cual hasta hoy se organizan conciertos. En el Monte Blanco, donde tuvo lugar en 1620 la trágica batalla que terminó con la independencia del Estado checo, fue construido un palacete sobre planta en forma de estrella (de ahí su nombre, «Hvězda» en checo), rodeado de un gran parque. Lo mismo puede decirse del Coto Real, hoy conocido como la Arboleda (Stromovka), donde la nobleza otrora solía practicar la equitación, aunque los domingos fue abierta a los paseos de los praguenses.

Los parques están dedicados a los amantes: aman a Praga y el amor tiene por escenario un jardín en flor.

- VALDŠTEJNSKÁ ZAHRADA
- WALDSTEIN-GARTEN
- WALLENSTEIN GARDEN
- JARDIN WALLENSTEIN
- IL GIARDINO WALLENSTEIN
- EL JARDÍN VALDŠTEJN

- Z LEDEBURSKÉ ZAHRADY
- LEDEBOUR-GARTEN
- IN THE LEDEBOUR GARDEN
- DANS LE JARDIN LEDEBOUR
- I GIARDINI DI LEDEBOUR
- EN EL JARDÍN LEDEBOUR

NÁDVOŘÍ STRAHOVSKÉHO KLÁŠTERA
HOF DES STIFTS STRAHOV
THE COURTYARD OF STRAHOV MONASTERY
LA COUR DU MONASTÈRE DE STRAHOV
IL CORTILE DEL MONASTERO DI STRAHOV
PATIO DEL MONASTERIO DE STRAHOV

ÚVOZ A STRAHOVSKÁ ZAHRADA
DIE STRASSE ÚVOZ UND GARTEN DES STIFTS STRAHOV
THE STREET CALLED ÚVOZ AND STRAHOV GARDEN
ÚVOZ ET LE JARDIN DE STRAHOV
LA VIA ÚVOZ E IL GIARDINO DI STRAHOV
LA CALLE ÚVOZ Y EL JARDÍN DE STRAHOV

KATEDRÁLA SV. VÍTA OD LETOHRÁDKU
BLICK ZUM ST.-VEITS-DOM VOM LUSTSCHLOSS
ST. VITUS'S CATHEDRAL FROM THE SUMMER PALACE
LA CATHÉDRALE SAINT-GUY VUE DU BELVÉDÈRE
LA CATTEDRALE DI S. VITO VISTA DAL BELVEDERE

ŠTURSOVO VÍTĚZSTVÍ
STATUE «DER SIEG» VON J. ŠTURSA
J. ŠTURSA'S STATUE „VICTORY"
LA VICTOIRE, ŒUVRE DE J. ŠTURSA
LA VITTORIA, OPERA DELLO SCULTORE J. ŠTURSA

■ V ŠÁRCE
■ IM TAL ŠÁRKA
■ IN ŠÁRKA VALLEY
■ A ŠÁRKA
■ A ŠÁRKA
■ ŠÁRKA

- PŘEDJAŘÍ VE HVĚZDĚ
- VORFRÜHLING IM GEHEGE HVĚZDA
- EARLY SPRING AT HVĚZDA
- L'ARRIVÉE DU PRINTEMPS À HVĚZDA
- IN MARZO PRESSO HVĚZDA
- PRIMEROS DÍAS DE PRIMAVERA EN HVĚZDA

VE STROMOVCE
IM BAUMGARTEN (STROMOVKA)
IN STROMOVKA PARK
DANS STROMOVKA
NEL PARCO STROMOVKA
LA ARBOLEDA (STROMOVKA)

VLTAVA A VYŠEHRAD

Nad Vltavou se vypínají Hradčany a královský hrad, na druhé straně Vltavy proti jejímu proudu se od pradávna tyčí na vysoké skále nad řekou Vyšehrad, kdysi druhý přemyslovský hrad a ovšem i katedrála. Tohoto místa se týká mnoho starodávných pověstí, zde sídlila prý kněžna Libuše a sem si přivedla bájného Přemysla, zakladatele rodu. Není pochyby, bylo zde jedno z kultovních míst pohanské doby.

Ze starého královského hradu zbyly jenom trosky, ale chrám — sice v novější podobě — se stále tyčí na skále. Z vysokých pevných hradeb je zvláštní pohled na Prahu, na vltavské mosty, a ovšem i na královské Hradčany. Vltava se vine jako zlatá stuha celým městem, jako by se s ním nemohla rozloučit.

U vyšehradského kostela se rozkládá nejslavnější pražský hřbitov, místo odpočinku význačných osobností české národní kultury, jehož Slavín spojuje přítomnost s minulostí, její kulturu s uměním dneška.

Když před stoletím se rozhodl národ postavit v Praze svou „zlatou kapličku", vystavěl za sebrané krejcárky Národní divadlo na místě nejdražším, na vltavském nábřeží, s pohledem na Hradčany a proti dvěma ostrovům, Střeleckému a Slovanskému, jež svou zelení tvořily uprostřed města nejmilejší místa. Zde se Pražané bavili, procházeli se pod stromy, pořádali tu plesy i tančili při veřejných koncertech, neboť hudba k životu Prahy patřila vždy neoddělitelně.

A hudbu Vltavy i slávu Vyšehradu zachytil na věčné časy nikdo menší než Bedřich Smetana.

DIE VLTAVA UND DER VYŠEHRAD

Über dem Fluß ragt der Stadtteil Hradčany und die königliche Burg hoch, auf der anderen Seite des Flusses stromaufwärts erhebt sich seit alten Zeiten auf einem hohen Felsen der Vyšehrad, einst die zweite Burg der Přemysliden, mit einer Kathedrale. Diese Lokalität ist von vielen alten Sagen umsponnen, hier soll die Fürstin Libuše ihren Sitz gehabt haben, und hierher wurde auch der Pflüger Přemysl, der Gründer des Geschlechts der Přemysliden, gebracht. Hier war auch zweifellos eine der Kultstätten der heidnischen Ära.

Von der alten Königsburg sind nur Trümmer übriggeblieben, die Kathedrale erhebt sich jedoch, wenn auch in ihrer neuen Form, immer noch auf dem Felsen. Von den hohen, festen Schanzen der späteren Festung ist ein einzigartiger Ausblick auf die Stadt, auf die vielen Brücken des Flusses, und natürlich auch auf die königliche Burg. Und die Vltava windet sich wie ein goldenes Band durch die ganze Stadt, als könnte sie es nicht übers Herz bringen, Abschied zu nehmen.

Bei der Kirche des Vyšehrad liegt der berühmteste Prager Friedhof, die Ruhestätte bekannter Persönlichkeiten der tschechischen nationalen Kultur.

Als sich vor einem Jahrhundert die Nation entschloß, in Prag sein „goldenes Heiligtum" zu erbauen, entstand aus im ganzen Volk gesammelten Kreuzern das Nationaltheater an einer Stelle, die dem Herzen am nächsten stand, am Flußquai, mit einer Aussicht auf die Prager Burg gegenüber zwei Inseln, der Schützeninsel und der Slawischen Insel, die mit ihrem Grün beliebte Aufenthaltsorte im Zentrum der Stadt waren. Hier unterhielten sich die Prager, sie veranstalteten Bälle und tanzten bei öffentlichen Konzerten, denn die Musik gehörte schon immer untrennbar zum Leben der Stadt Prag.

Und die Musik der Vltava und den Ruhm des Vyšehrad hat für ewige Zeiten kein Geringerer als Bedřich Smetana festgehalten.

THE VLTAVA AND VYŠEHRAD

Hradčany and the royal castle rise above the Vltava and upstream of the river, on its other bank, a high rock called Vyšehrad, the site of the second Přemyslid castle and, naturally, a cathedral, has looked down on its waters since time immemorial. Many ancient legends are connected with this place, which is alleged to have been the seat of Princess Libuše to which she summoned the legendary Přemysl, founder of the Přemyslid dynasty.

Only ruins have remained of the old royal castle, but the cathedral—true, in a newer form—still rises on the rock. The high and strong fortification walls afford a special view of Prague, of the bridges spanning the Vltava and, of course, of royal Hradčany. The Vltava winds like a golden ribbon through the whole city as though unable to take farewell of it.

Prague's most illustrious cemetery lies by the church on Vyšehrad. It is the place of rest of outstanding personalities of Czech national culture and its Pantheon combines the present with the past, the culture of the latter with art of the present.

When the nation decided to build its "golden chapel" in Prague one century ago, it erected from collections of coins the National Theatre in the dearest place, on the Vltava embankment, with a view of Hradčany and opposite Marksmen's Island and Slavonic Island which, due to their greenery, formed the most enchanting site in the centre of the city. The people of Prague spent happy moments, walked under the trees, organized balls and danced during public concerts here, because music has always been an inseparable part of the life of Prague.

And no one less than Bedřich Smetana captured the music of the Vltava and the glory of Vyšehrad for all time.

LA VLTAVA ET VYŠEHRAD

Tandis que le Château et Hradčany s'élèvent majestueusement sur la rive gauche de la Vltava, Vyšehrad se dresse plus loin, sur la rive droite, sur une haute falaise surplombant la rivière. Ce fut là, autrefois, le second château přemyslide, doté également de sa propre cathédrale. De nombreuses légendes sont liées à cet endroit : c'était ici le siège mythique de la princesse Libuše où elle emmena Přemysl, le fondateur légendaire de la dynastie. Vyšehrad, sans aucun doute, était un des lieux sacrés de l'époque païenne.

De l'ancien palais royal ne se sont conservées que des ruines, mais la cathédrale, même si elle a été rebâtie, s'élève encore sur son rocher. Depuis les remparts, hauts et massifs, une vue singulière s'ouvre sur Prague, sur les ponts de la Vltava et sur le Château, au loin. La Vltava, tel un ruban doré, traverse toute la ville comme si elle ne pouvait s'en séparer.

Au pied de la cathédrale de Vyšehrad se trouve le cimetière le plus célèbre de Prague avec son panthéon, Slavín, où reposent les personnalités éminentes de la culture nationale. A Slavín, la culture d'aujourd'hui se lie à celle d'hier dans une continuité persistante. Lorsque, il y a un siècle, le peuple tchèque décida de construire à Prague sa « Chapelle d'or », c'est-à-dire son Théâtre National, il l'édifia — avec l'argent recueilli dans des collectes — sur le quai de la Vltava : c'était l'endroit chéri des Pragois, avec vue sur le Château. Les deux îles en face du Théâtre, Střelecký ostrov (île des Tireurs) et Slovanský ostrov (Ile slave), abondantes en verdure, étaient le lieu où les Pragois venaient s'amuser, se promener sous les arbres et danser lors des bals et des concerts, car la musique a toujours fait partie de la vie pragoise.

Et ce fut Bedřich Smetana, le plus grand compositeur national lui-même, qui immortalisa le chant de la Vltava et la gloire de Vyšehrad dans son œuvre symphonique.

MOLDAVA E VYŠEHRAD

Se sopra il fiume Moldava si erge il complesso di Hradčany con il castello reale, sulla riva opposta del fiume, andando contro corrente da tempi immemorabili sull'alta roccia domina Vyšehrad, una volta il secondo castello dei Premislidi che vanta naturalmente una propria cattedrale. Di questo posto parlano molte leggende antiche affermando che questa era la sede della principessa Libussa, dove ella stessa si portò il leggendario Přemysl, fondatore della stirpe. In ogni caso si tratta di uno dei luoghi di culto pagano.

Dell'antico castello reale sono rimaste solo le rovine; solo la cattedrale — nello stato attuale — si erge sempre sulla roccia. Dalle alte fortificazioni si apre una singolare veduta dei ponti situati sulla Moldava e naturalmente anche del complesso di Hradčany, sede dei re. La Moldava si snoda come un nastro d'oro attraverso la città come se non volesse abbandonarlo.

Vicino alla chiesa di Vyšehrad si trova il cimitero monumentale di Praga, luogo in cui riposano diverse illustri personalità della cultura ceca e che unisce il presente con il passato, la cultura di ieri con quella di oggi.

Nel secolo scorso i Cechi con i soldi raccolti da una colletta vollero costruire a Praga una loro «cappella d'oro», vale a dire il Teatro nazionale. Come luogo scelsero quello a loro più caro e cioè sul lungofiume, da cui si apre la veduta di Hradčany e di due isole: l'isola dei tiratori e l'isola slava, che con i loro verdi alberi nel centro della città erano molto amate dai Praghesi. Qui si divertivano, passeggiavano, organizzavano balli e concerti in pubblico: la vita di questa città è da sempre legata alla musica.

La musica della Moldava e la gloria di Vyšehrad sono state raffigurate nelle sue opere anche da Bedřich Smetana.

El MOLDAVA Y VYŠEHRAD

Si la zona de Hradčany con el Castillo Real se elevan sobre una de las márgenes del Moldava, la otra está dominada, algo más río arriba, por el robusto peñón de Vyšehrad, segunda sede de la dinastía premislita y también asiento de una catedral. El lugar está unido a muchas leyendas antiguas, dícese que aquí vivía la princesa Libuše y que aquí trajo a su consorte Přemysl, el fundador de la dinastía. De lo que no cabe duda es que se conservan muchos testimonios del culto pagano.

Apenas ruinas han quedado del antiguo castillo real, pero todavía existe el templo, por supuesto renovado. Desde las murallas de la cima se ofrece una vista diferente de la ciudad, sus puentes y la zona del castillo, Hradčany. En cuanto al río, éste le da vueltas a la ciudad como una cinta de oro, como no queriendo despedirse.

Junto a la iglesia de Vyšehrad se extiende el más honorable cementerio praguense, lugar de último descanso de grandes personalidades de la cultura nacional, con el Panteón llamado Slavín, nexo de unión entre el pasado cultural y su presente.

Cuando hace un siglo la nación quiso hacerse construir su «altar de oro», reunió en colecta pública, céntimo tras céntimo, el dinero necesario para levantar el Teatro Nacional. Y lo hizo en el lugar que más amaba, junto al Moldava y frente al panorama de Hradčany. Dos islas le acompañan, la de Tiro y la Eslava, cuya vegetación en medio de la ciudad le dan un gran atractivo. Aquí venían los praguenses a divertirse, a pasear a la sombra de los árboles, aquí se bailaba y se escuchaba música, un elemento que siempre estuvo unido indisolublemente a la vida de la ciudad.

Y la música del Moldava, como la gloria de Vyšehrad, fueron concretadas para siempre por nadie menor que el propio Bedřich Smetana.

■ VLTAVA SE BLÍŽÍ K PRAZE
■ DIE VLTAVA NÄHERT SICH PRAG
■ THE VLTAVA APPROACHES PRAGUE
■ LA VLTAVA S'APPROCHE DE PRAGUE
■ LA MOLDAVA S'AVVICINA A PRAGA
■ EL MOLDAVA SE ACERCA A PRAGA

- VYŠEHRADSKÁ SKÁLA S ŘEKOU
- DER VYŠEHRAD-FELSEN ÜBER DEM FLUSS
- VYŠEHRAD ROCK AND THE RIVER
- LA FALAISE DE VYŠEHRAD ET LA RIVIÈRE
- LA ROCCIA DI VYŠEHRAD CON IL FIUME
- EL PEÑÓN DE VYŠEHRAD SOBRE EL RÍO

- ZŘÍCENINA NA VYŠEHRADSKÉM OSTROHU
- RUINE AUF DEM FELSVORSPRUNG DES VYŠEHRAD
- RUINS ON THE VYŠEHRAD PROMONTORY
- VESTIGES SUR LE ROCHER DE VYŠEHRAD
- LE ROVINE SUL PROMONTORIO DI VYŠEHRAD
- RUINAS SOBRE EL PROMONTORIO DE VYŠEHRAD

168 / 169

- OSVĚTLENÝ PRAŽSKÝ HRAD
- ANGESTRAHLTE PRAGER BURG
- ILLUMINATED PRAGUE CASTLE
- LE CHÂTEAU DE PRAGUE ILLUMINÉ
- IL CASTELLO ILLUMINATO
- ILUMINACIÓN DEL CASTILLO DE PRAGA

ZÁPAD SLUNCE ZA SV. MIKULÁŠEM
SONNENUNTERGANG HINTER DER ST.-NIKOLAUS-KIRCHE
SUNSET BEHIND ST. NICHOLAS'S CHURCH
COUCHER DE SOLEIL DERRIÈRE SAINT-NICOLAS
IL TRAMONTO DEL SOLE DIETRO SAN NICOLA
LA PUESTA DEL SOL DETRÁS DE SAN NICOLÁS

- Šítkovská věž - Kavárna na Barrandově - Ze Slovanského ostrova - Secesní Hanavský pavilón - Slavín na Vyšehradském hřbitově - Trojský zámek - Restaurace Praha Expo 58 - Novoměstská vodárenská věž - Kaple sv. Maří Magdalény s Hanavským pavilónem - Rotunda sv. Kříže - Výtoň, bývalá celnice → Vltava s Karlovým mostem

- Šitka-Wasserturm - Kaffeehaus auf dem Barrandov - Auf der Slawischen Insel - Der Hanausche Jugendstilpavillon - Pantheon des Friedhofs auf dem Vyšehrad - Schloß Troja - Restaurant Praha Expo 58 - Der Neustädter Wasserturm - Maria-Magdalenen-Kapelle und der Hanausche Pavillon - Hl.-Kreuz-Rotunde - Výtoň, ehem. Zollamt → Die Vltava mit der Karlsbrücke

- The Šítka Tower - The café at Barrandov - From Slavonic Island - The Art Nouveau Hanau Pavilion - The Pantheon in Vyšehrad Cemetery - Troja Château - The Prague Expo 58 Restaurant - The New Town waterworks tower - St. Mary Magdalene's Chapel with the Hanau Pavilion - The Rotunda of the Holy Rood - Výtoň, the old customs house → The Vltava with Charles Bridge

- Tour Šítkovská - Le café-restaurant de Barrandov - Sur l'Ile slave - Pavillon de Hanau, style Art Nouveau - Slavín, au cimetière de Vyšehrad - Château de Troja - Le restaurant Praha Expo 58 - Le château d'eau de Nové Město -Chapelle Marie-Madeleine et le pavillon de Hanau - Rotonde Sainte-Croix - Výtoň, l'ancienne douane → La Vltava avec le pont Charles

- La torre di Šítka - Il Caffé di Barrandov- Sull'isola degli Slavi - Il padiglione in stile liberty Hanavský - Il cimitero monumentale di Vyšehrad - Il Castello di Troja - Il ristorante «Praga Expo 58» -La centrale idraulica della Città nuova -La cappella di S. Maria Maddalena con il padiglione Hanavský - La rotonda di S. Croce - Výtoň, l'ex-dogana → La Moldava con il ponte Carlo

- La Torre Šítka - Café en Barrandov - De la Isla Eslava - El pabellón modernista «Hanavský» - El Panteón del cementerio de Vyšehrad - El Palacio Troya - El restaurante Praha Expo 58 - Torre de aguas corrientes de la Ciudad Nueva - La Capilla de Santa María Magdalena y el pabellón «Hanavský» - La rotonda de la Santa Cruz - Výtoň, antigua aduana → El Moldava y el Puente de Carlos

MALOSTRANSKÉ MOSTECKÉ VĚŽE
KLEINSEITNER BRÜCKENTÜRME
THE LITTLE QUARTER BRIDGE TOWERS
LES TOURS DU PONT CHARLES DU CÔTÉ DE MALÁ STRANA
MALÁ STRANA: LE TORRI DEL PONTE
LAS TORRES DEL PUENTE EN MALÁ STRANA

STAROMĚSTSKÁ MOSTECKÁ VĚŽ
ALTSTÄDTER BRÜCKENTURM
THE OLD TOWN BRIDGE TOWER
LA TOUR DU PONT CHARLES DU CÔTÉ DE LA VIEILLE VILLE
CITTÀ VECCHIA: LA TORRE DEL PONTE
LA TORRE DEL PUENTE EN LA CIUDAD VIEJA

- NOVOTNÉHO LÁVKA
- DAS GÄSSCHEN NOVOTNÉHO LÁVKA
- THE LITTLE STREET CALLED NOVOTNÉHO LÁVKA
- PASSERELLE NOVOTNÉHO LÁVKA
- NOVOTNÉHO LÁVKA
- LA CALLEJUELA NOVOTNÉHO LÁVKA

NÁBŘEŽÍ S PRAŽSKÝM HRADEM
VLTAVA-QUAI MIT DER PRAGER BURG
THE EMBANKMENT WITH PRAGUE CASTLE
DU QUAI, UNE VUE SUR LE CHÂTEAU
IL LUNGOFIUME CON IL CASTELLO DI PRAGA
EL MUELLE CON EL CASTILLO AL FONDO

KARLŮV MOST
KARLSBRÜCKE
CHARLES BRIDGE
PONT CHARLES
IL PONTE CARLO
EL PUENTE DE CARLOS

→
VLTAVSKÉ NÁBŘEŽÍ
VLTAVA-QUAI
THE VLTAVA EMBANKMENT
LE QUAI DE LA VLTAVA
IL LUNGOFIUME DELLA MOLDAVA
LOS MUELLES DEL MOLDAVA

PRAŽSKÝ KALEIDOSKOP

■ Prošli jsme Starým Městem, Malou Stranou, Hradem, nahlédli do zahrad a stanuli i na Vyšehradě, vlastně jsme se pořád nějak dotýkali Vltavy. A nyní, na závěr, se ocitáme v jádru metropole, což je Václavské náměstí a jeho okolí. Byla to vlastně jedna z tepen Nového Města, jež kázal vystavět už Karel IV.

To místo se dřív nazývalo Koňský trh. Když byly zbourány staré hradby, jež město uzavíraly, naši předkové tu postavili skvělou budovu Národního muzea, a tak se ono Václavské náměstí postupně proměnilo ve skutečný střed Prahy. Už dávno předtím stávala tu nevelká socha knížete Václava na koni, jež byla později přenesena na Vyšehrad a v čele náměstí teď stojí impozantní socha Myslbekova, obklopena čtyřmi českými světci.

Na tomto náměstí bývaly ovšem i pivovary, těch bylo po Praze hodně, pak se zde stavěly honosné domy, velké obchody, společenské sály a brzy i kina, zde se soustředil život denní i noční.

Nahoře za Václavským náměstím začínají Vinohrady, opodál je Žižkov, slavná dělnická čtvrť stejně jako Karlín, Smíchov, Vysočany. A tam všude postavili továrny.

Mimo střed Prahy vyrostl Palác kultury, nové výškové hotely a hlavně mnoho obytných center, protože lidí přibývá a každý chce bydlet. A tak nové čtvrti obepínají historické město věncem sídlišť.

To všechno je Praha, město krásné a stověžaté, Praha dneška i město budoucnosti.

PRAGER KALEIDOSKOP

■ Wir haben die Altstadt, die Kleinseite, die Burg durchwandert, die Gärten bewundert, wir standen auch auf dem Vyšehrad; dabei waren wir ständig irgendwie in Kontakt mit dem Fluß Vltava. Und nun, zum Abschluß, befinden wir uns im Zentrum der Hauptstadt, d. i. auf dem Wenzelsplatz und in seiner Umgebung. Er war eigentlich eine der Hauptstraßen der Prager Neustadt, deren Bau Karl IV. anordnete.

Diese Lokalität hieß früher Roßmarkt. Als die alten, die Stadt einschließenden Mauern niedergerissen wurden, erbauten unsere Vorfahren an dieser Stelle das gediegene Gebäude des Nationalmuseums, und so wurde der Wenzelsplatz zum tatsächlichen Zentrum Prags. Schon lange vorher stand hier eine kleine Reiterstatue des Fürsten Wenzel, die später auf den Vyšehrad übertragen wurde; heute steht im oberen Teil des Wenzelsplatzes die imposante Wenzelsstatue des Bildhauers Myslbek, umgeben von Statuen der vier böhmischen Landesheiligen.

Auf diesem Platz standen seinerzeit auch Bierbrauereien (in Prag gab es ihrer eine ganze Reihe), es wurden prunkvolle Häuser erbaut, Geschäfte und Gesellschaftssäle errichtet, bald auch Kinos; hier konzentrierte sich das Prager Leben bei Tag und bei Nacht.

Am oberen Ende des Wenzelsplatzes beginnt das Stadtviertel Vinohrady, unweit breitet sich Žižkov, ein bekanntes Arbeiterviertel, aus, — ebenso wie die Viertel Karlín, Smíchov und Vysočany. Und überall dort entstanden auch Fabriken.

Außerhalb des Stadtzentrums wuchs der Kulturpalast auf, eine Reihe großer, hoher Hotels, und vor allem viele Wohnsiedlungen, denn die Einwohnerzahl nimmt zu und ein jeder möchte gut wohnen. Und so umgibt den historischen Stadtkern ein Kranz neuer Wohnviertel.

Und das alles ist Prag, die schöne und hunderttürmige Stadt, das Prag von heute und die Stadt der Zukunft.

THE PRAGUE KALEIDOSCOPE

■ We have walked through the Old Town, the Little Quarter and the Castle, viewed the gardens and stood on Vyšehrad and in doing so we have continuously touched the Vltava. And now, at the end of our excursion, we find ourselves in the core of the metropolis, which is Wenceslas Square and its environs. It was in fact one of the arteries of the New Town, whose construction was commissioned by Charles IV.

This square was once called the Horse Market. When the old fortifications which enclosed the city were demolished, our ancestors erected the magnificent building of the National Museum here and so Wenceslas Square was gradually transformed into the centre of Prague. A small equestrian statue of Prince Václav (Wenceslas) had previously stood here for a long time. It was later transferred to Vyšehrad and an imposing statue, the work of the sculptor Josef Myslbek, surrounded by four Czech saints, now stands at the top of the square.

There were, however, also breweries in this square. They existed in great numbers throughout Prague and then splendid houses, big shops, social halls and, before long, also cinemas were built. Day and night life was concentrated here.

At the top of Wenceslas Square Vinohrady begins and further on lies Žižkov, a working-class district of the same renown as Karlín, Smíchov and Vysočany. And factories were erected in all these places.

Beyond the centre of Prague the Palace of Culture, new multi-storeyed hotels and, above all, numerous residential centres—because people are increasing in number and everyone wants to have his own home—have sprung up.

All this is Prague, the city of beauty and a hundred spires, Prague of the present and a city of the future.

MOSAÏQUE PRAGOISE

Nous avons parcouru la Vieille Ville, Malá Strana et le Château, nous avons jeté un coup d'œil aux jardins et sommes montés à Vyšehrad, tout en longeant la Vltava. Et maintenant, pour finir notre promenade, nous découvrons le cœur même de la métropole, c'est-à-dire la place Venceslas et ses alentours. Depuis toujours, elle est une des artères principales de la Nouvelle Ville, cité construite sur l'ordre de Charles IV.

Jadis, cet endroit s'appelait le Marché aux chevaux. Lorsque furent démolies les vieilles enceintes qui encerclaient la ville, nos ancêtres y construisirent l'édifice magnifique du Musée national et c'est ainsi que la place Venceslas, peu à peu, devint le véritable centre de Prague. Bien avant, une petite statue équestre de Saint Venceslas s'y trouvait déjà. Elle fut déplacée à Vyšehrad et maintenant, la place est dominée par la statue imposante de Saint Venceslas entouré de quatre saints tchèques, œuvre de Myslbek.

Autrefois, sur cette place, comme partout dans Prague, existaient même de nombreuses brasseries ; plus tard, on y édifia des maisons somptueuses, des grands magasins, des salles de danse et de spectacle et, bientôt, des cinémas. La place devint la plaque tournante de la vie pragoise, la nuit aussi bien que le jour. Plus haut derrière la place Venceslas commence le quartier de Vinohrady, plus loin se trouve Žižkov, fameux quartier ouvrier tout comme Karlín, Smíchov, Vysočany. C'était là que furent construites les usines.

En dehors du centre-ville, ont été bâtis le Palais de la Culture, les gratte-ciel des nouveaux hôtels et surtout les nombreux nouveaux quartiers, car la population s'accroît et tout le monde veut avoir son appartement. Ainsi, la ville historique est entourée d'une guirlande de nouveaux quartiers.

Tout cela c'est Prague, la belle ville aux cent tours, Prague d'aujourd'hui et de demain.

CALEIDOSCOPIO PRAGHESE

Abbiamo attraversato la Città Vecchia, la Parte Piccola, abbiamo visitato il Castello, passeggiato per i giardini pubblici e ci siamo spinti sino a Vyšehrad, tenendoci in un certo qual modo sempre vicini al fiume Moldava. Ora ci troviamo nel centro della metropoli, in Piazza San Venceslao e nei suoi immediati dintorni. La piazza è una delle arterie della Città Nuova fatta costruire all'epoca di Carlo IV.

Una volta questa piazza si chiamava «Il mercato dei cavalli». Poi furono abbattute le vecchie mura, venne costruito lo splendido edificio del Museo nazionale e col tempo la piazza diventò il vero centro della città. La piccola statua equestre di San Venceslao, che c'era prima, fu trasferita a Vyšehrad e ora nella piazza si erge l'imponente opera dello scultore J. Myslbek, che raffigura San Venceslao circondato da quattro santi boemi.

Un tempo nella piazza c'erano anche alcune fabbriche di birra, allora numerosissime a Praga, edifici sontuosi e grandi negozi, sale pubbliche e più tardi pure i cinematografi. Fu così che la piazza iniziò ad essere il centro della vita notturna. Dietro la piazza oltre il Museo nazionale, troviamo il quartiere di Vinohrady e quello operaio di Žižkov cosí come sono rioni operai anche Karlín, Smíchov e Vysočany. Qui furono costruite molte fabbriche.

Fuori del centro città c'è il Palazzo della cultura, nuovi grandi alberghi e soprattutto nuovi quartieri, che sono nati e continuano a nascere in quanto gli abitanti aumentano in continuazione e ognuno vuol avere la propria casa. Ed è così che attorno alla città si è formata una rete di nuovi rioni.

Praga: città dalle cento torri, città del presente e del futuro.

CALEIDOSCOPIO PRAGUENSE

Hemos recorrido la Ciudad Vieja, Malá Strana y el Castillo, admiramos los jardines y nos detuvimos en la cumbre de Vyšehrad; todo el tiempo hemos estado cerca del Moldava. Ahora, para terminar nuestro periplo, iremos al centro de la ciudad, constituido por la Plaza de Venceslao y sus alrededores. Se trata de una de las arterias de la Ciudad Nueva que hizo construir el emperador Carlos IV.

El lugar se denominaba en su origen Mercado Equino. Cuando se derribaron las murallas que encercaban la ciudad, nuestros antepasados construyeron el brillante edificio del Museo Nacional y la Plaza de Venceslao se fue convirtiendo efectivamente en el centro de Praga. Ya antes se había erigido un monumento ecuestre al príncipe Venceslao, hoy ubicado en Vyšehrad; en la parte superior de la plaza se levanta hoy la imponente escultura realizada por Myslbek, quien la completó con las figuras de cuatro santos checos en cada una de las esquinas.

Naturalmente, la plaza contaba con gran número de cervecerías, elemento típico de Praga. Luego se construyeron edificios mayores, comercios, salas de espectáculos y más tarde cines, en fin, aquí se ha concentrado la vida diurna y nocturna de la ciudad.

En la parte alta de la plaza comienza el barrio de Vinohrady. A un costado, el de Žižkov, célebre sector proletario. Luego están Karlín, Smíchov, Vysočany. En todos ellos surgieron fábricas.

Fuera del centro se elevó el Palacio de la Cultura, así como rascacielos que abrigan hoteles y sobre todo muchos conjuntos habitacionales, porque la población aumenta y todo el mundo quiere tener un techo. Así fue como la ciudad histórica fue rodeada de nuevos barrios residenciales.

Todo esto en total es Praga, la ciudad de mil torres, la ciudad de nuestro tiempo y del futuro.

- VÁCLAVSKÉ NÁMĚSTÍ
- WENZELSPLATZ
- WENCESLAS SQUARE
- PLACE VENCESLAS
- LA PIAZZA VENCESLAO

DÉŠŤ NA PĚŠÍ ZÓNĚ   U HLAVNÍHO NÁDRAŽÍ
FUSSGÄNGERZONE IM REGEN   BEIM HAUPTBAHNHOF
RAIN IN THE PEDESTRIAN ZONE   THE MAIN STATION
LA ZONE PIÉTONNIÈRE SOUS LA PLUIE   PRÈS DE LA GARE PRINCIPALE
PIOGGIA NELL'ISOLA PEDONALE   PRESSO LA STAZIONE CENTRALE
LA ZONA PEATONAL BAJO LA LLUVIA   JUNTO A LA ESTACIÓN CENTRAL WILSON

NÁRODNÍ MUZEUM DŮM U HYBERNŮ
DAS NATIONALMUSEUM HAUS U HYBERNŮ
THE NATIONAL MUSEUM THE BUILDING CALLED AT THE HIBERNIANS
LE MUSÉE NATIONAL MAISON U HYBERNŮ
IL MUSEO NAZIONALE LA CASA U HYBERNŮ
EL MUSEO NACIONAL EL EDIFICIO «U HYBERNŮ»

- Z PĚŠÍ ZÓNY
- IN DER FUSSGÄNGERZONE
- IN THE PEDESTRIAN ZONE
- SUR LA ZONE PIÉTONNIÈRE
- NELL'ISOLA PEDONALE
- EN LA ZONA PEATONAL

■ NEKÁZANKA OD PŘÍKOPŮ   U OBECNÍHO DOMU
■ DIE GASSE NEKÁZANKA   BEIM REPRÄSENTATIONSHAUS
■ NEKÁZANKA STREET   BY THE MUNICIPAL HOUSE
■ RUE NEKÁZANKA   DEVANT LA MAISON MUNICIPALE
■ LA VIA NEKÁZANKA   PRESSO LA CASA MUNICIPALE
■ LA CALLE NEKÁZANKA   LA CASA COMUNAL

Fontána u stanice metra Národní třída - Vinohradské divadlo - Na Václavském náměstí - Stanice metra Náměstí Republiky - Obchodní dům Družba - Kubistický sloup a raně gotický portál u kostela Panny Marie Sněžné - Hlavní nádraží - Kostel Na skalce - Palác Perla - Vila Amerika - Z Paláce kultury - Hospoda U kalicha → Fontána u Národního muzea

Fontäne bei der Metrostation Národní třída - Theater Vinohradské divadlo - Auf dem Wenzelsplatz - Metrostation Náměstí Republiky - Kaufhaus Družba - Kubistische Säule und frühgotisches Portal bei der Maria-Schnee-Kirche - Hauptbahnhof - Kirche Na skalce - Palast Perla - Villa Amerika - Aus dem Kulturpalast - Gaststätte Zum Kelch → Fontäne beim Nationalmuseum

The fountain by Národní třída Station of the underground railway - The Vinohrady Theatre - In Wenceslas Square - Náměstí Republiky Station of the underground railway - The Družba department store - A cubistic column and an Early Gothic portal by the Church of Our Lady of the Snows - The Main Station - The church "Na skalce" - The Perla Palace - The Amerika Summer Palace - From the Palace of Culture - The ale-house called At the Chalice → The fountain by the National Museum

Fontaine de la station de métro Národní třída - Théâtre de Vinohrady - Place Venceslas - Station de métro Place de la République - Grand magasin Družba - Colonne cubiste et portail du premier gothique près de l'église Notre-Dame-des-Neiges - Gare Principale - Eglise Na skalce - Palais Perla - Villa Amerika - Dans le Palais de la Culture - La brasserie U Kalicha (Au calice) → Fontaine près du Musée National

Fontana presso la stazione della metropolitana: Národní třída - Il Teatro di Vinohrady - In Piazza Venceslao - Fermata della metropolitana: Náměstí Republiky - Il grande magazzino Družba - Colonna cubista e portale gotico presso la chiesa di Santa Maria delle nevi - La Stazione centrale - La chiesa «Na skalce» - Il palazzo «Perla» - La villa America - Il Palazzo della cultura - Osteria «Al calice» → Fontana presso il Museo nazionale

Fuente junto a la estación del metro «Národní třída» - El Teatro de Vinohrady - En la Plaza de Venceslao - Estación del metro «Náměstí Republiky» - Tiendas Družba - Columna cubista y portal neogótico junto a la iglesia de Nuestra Señora de las Nieves - Estación Central Wilson - Iglesia Na Skalce - Edificio Perla - Villa América - Del Palacio de la Cultura - Taberna «El Cáliz» → Fuente junto al Museo Nacional

- PRAGER BURG IN DER ABENDDÄMMERUNG
- THE CASTLE IN EARLY EVENING
- LE CHÂTEAU AU COUCHER DE SOLEIL
- IL CASTELLO NEL CREPUSCOLO
- EL CASTILLO AL CAER LA NOCHE

→

JIŘÍ A IVAN DOLEŽALOVI

Starší z dvojice výtvarných fotografů, kteří jsou autory této obrazové publikace, *Jiří Doležal (1921)*, se vrací k Praze, tomuto svému životnímu tématu, už třicet let. Propracovával se k němu postupně. Jako nakladatelský redaktor se zabýval nejen knižní grafikou, ale pokoušel se i o vlastní fotografickou tvorbu. Výsledkem byla v druhé polovině šedesátých let spolupráce na několika pražských suvenýrech (Památky staré Prahy, Tisíciletý Pražský hrad, Památky pražského ghetta).

Brzy potom se k otcovým snahám připojil i jeho syn *Ivan Doležal (1950)*, a to ještě jako student pražské FAMU, kde absolvoval u prof. Šmoka diplomní prací o Josefu Sudkovi. Ten také ovlivnil jeho další vývoj.

Tak vyšly, nejprve s převažujícím podílem Jiřího Doležala, černobílá obrazová publikace Zlatá Praha (1971) a o dva roky později už převážně barevná střední obrazová kniha Praha, vyznamenaná v r. 1973 v soutěži o nejkrásnější knihu roku. Dosáhla postupně čtyř vydání. V 80. letech se potom ve třech vydáních — na každém z nich autoři znovu a znovu pracovali — realizovala velká celobarevná obrazová Praha. Pražské téma autoři zpracovali i v některých dílčích publikacích (Pražské zahrady, Hrad a Malá Strana ad.) v lipském nakladatelství Brockhausverlag. Jejich Praha se dostala prostřednictvím mnichovského nakladatelství Südwestverlag i na západoněmecký knižní trh.

Jiří a Ivan Doležalovi se představili čtenářům i jako úspěšní fotografové významných českých krajinných celků, jež zachytili především z hlediska moderního národopisu a turistiky v obrazových publikacích o Středních Čechách, Posázaví a Šumavě. S jejich fotografiemi se setkává naše veřejnost i v řadě kalendářů, v turistických průvodcích, v propagaci českého skla a bižutérie ad.

Jejich nejvlastnějším tématem však zůstává Praha. Vyzrálým svědectvím toho je i kniha, kterou čtenář dostává do rukou.

JIŘÍ UND IVAN DOLEŽAL

Der ältere des Autorenpaars der Kunstfotografen dieser Bildpublikation, *Jiří Doležal (1921)*, kehrt seit dreißig Jahren immer wieder zu seinem Lebensthema, zu Prag, zurück. Er hat sich zu ihm schrittweise durchgerungen. Als Redakteur des Verlags hat er sich nicht nur mit Buchgraphik befaßt, sondern er unternahm auch Versuche einer eigenen schöpferischen fotografischen Aktivität. In der zweiten Hälfte der sechziger Jahre führten diese Versuche zur Mitarbeit an einigen Prager Souvenir-Bänden.

Bald darauf schloß sich den Bemühungen des Vaters auch sein Sohn *Ivan Doležal (1950)* an, dies noch als Student der Prager Fakultät der musischen Künste (FAMU), wo er bei Professor Šmok mit einer Diplomarbeit über Josef Sudek absolvierte. Dieser Künstler beeinflußte auch seine weitere Entwicklung.

So kam, vorerst mit einem überragenden Anteil Jiří Doležals, die Schwarzweiß-Bildpublikation Das goldene Prag (1971) heraus und zwei Jahre später der vorwiegend farbige Bildband Prag, der im Jahr 1973 im Wettbewerb um das schönste Buch des Jahres ausgezeichnet wurde und vier Ausgaben erreichte. In den achtziger Jahren folgte dann in drei Ausgaben — an denen die Autoren immer wieder und wieder schöpferish tätig waren — die große ganzfarbige Bildpublikation Prag. Dem Thema Prags widmeten sich die Autoren auch in weiteren detaillierteren Publikationen (Prager Gärten, Die Burg und Die Kleinseite u. w.), die im Leipziger Brockhaus-Verlag herauskamen. Ihre große Prag-Publikation gelangte durch Vermittlung des Münchner Südwestverlags auch auf den Büchermarkt der Bundesrepublik.

Jiří und Ivan Doležal haben sich ihren Lesern auch als erfolgreiche Fotografen bedeutender böhmischer Landschaftskomplexe vorgestellt, die sie vor allem vom Gesichtspunkt der modernen Ethnographie und Touristik festgehalten haben, dies vor allem in den Bildbänden Mittelböhmen, Das Sázavatal und Der Böhmerwald. Ihren Aufnahmen begegnet unsere Öffentlichkeit auch in einer Reihe von Kalendern, in Reiseführern, in Propagandapublikationen für böhmisches Glas und Kunstschmuck u. a.

Ihr eigentlichstes und beliebtestes Thema bleibt jedoch Prag, wovon auch das Buch, das nunmehr in die Hände des Lesers gelangt, beredte Zeugenschaft ablegt.

JIŘÍ AND IVAN DOLEŽAL

The elder of the two art photographers responsible for this illustrated publication, *Jiří Doležal (1921)*, has turned to Prague, his life theme, for thirty years. He worked his way to it gradually. As an editor at a publishing house he was not only concerned with literary graphic art, but also experimented with photography. This resulted in the mid-eighties in his cooperation in the preparation of several Prague souvenirs.

Soon afterwards Jiří Doležal's son, *Ivan Doležal (1950)*, joined his father in his activity as a photographer while still a student at the Film Academy of Fine Arts in Prague, from which he graduated under Professor Šmok with a dissertation on the well-known photographer Josef Sudek.

Their first joint publication, in which Jiří Doležal played the greater role, was the black-and-white illustrated publication Zlatá Praha (Golden Prague—1971), followed two years later by the medium-sized illustrated book Praha (Prague) containing mainly colour photographs. In 1973 it won a diploma in the competition for the most beautiful book of the year. In the eighties the big all-colour illustrated book Prague was published in three editions on each of which Jiří and Ivan Doležal worked again and again. The two photographers have treated the Prague theme also in several partial publications—Prague's Gardens, The Castle and the Little Quarter and others—for the Brockhaus Verlag publishing house. Through the mediation of Südwestverlag in Munich their book Prague also found its way to the West German book market.

Jiří and Ivan Doležal have also presented themselves to readers as successful photographers of outstanding Czech landscape wholes, which they photographed chiefly from the aspects of ethnography and tourism for illustrated publications about Central Bohemia, the Sázava valley and the Šumava Mountains. The Czechoslovak public can also see their photographs in a number of calendars, tourist guides, publications propagating Bohemian glass and fashion jewellery, etc.

However, the favourite theme of Jiří and Ivan Doležal continues to be Prague. A mature proof of this is also the book which the reader is now holding in his hands.

JIŘÍ ET IVAN DOLEŽAL

L'aîné des deux photographes d'art qui créèrent le présent livre, *Jiří Doležal (1921)*, s'inspire de Prague, la grande vocation de sa vie, depuis trente ans déjà. Son chemin vers elle fut graduel. Rédacteur, il s'occupa non seulement de l'illustration, mais chercha également sa propre voie dans le domaine de l'art photographique. Ses recherches aboutirent, dans la seconde moitié des années 60, à une collaboration à la publication de plusieurs livres illustrés sur Prague.

Peu après, son fils *Ivan Doležal (1950)* a apporté sa contribution aux travaux de son père déjà en tant qu'étudiant de la FAMU de Prague (Académie de l'Art cinématographique) où il présenta, sous la direction du professeur Šmok, une maîtrise sur Josef Sudek, éminent photographe tchèque. Ce dernier influençera profondément sa future évolution artistique.

Au début, évidemment, la part de Jiří Doležal dans le travail du tandem était prédominante. En 1971, nos auteurs publièrent Zlatá Praha (Prague d'or), recueil de photographies en noir et blanc ; deux ans après, sortait une Praha dans laquelle prévalaient déjà les photographies en couleurs. Cet ouvrage remporta le prix du plus beau livre de l'an 1973 et fut réédité trois fois. Dans les années 80, un autre livre sur Prague, tout en couleurs, fut réalisé en trois éditions dont chacune avait été perfectionnée minutieusement. Les auteurs traitèrent le thème de Prague même dans des ouvrages consacrés aux diverses parties de la ville (Les jardins de Prague, Le Château et Malá Strana et autres), édités par la librairie Brockhaus-Verlag de Leipzig. Par l'intermédiaire de la maison d'édition Südwestverlag de Munich, leur Praha a conquis même le marché des livres ouest-allemand.

Avec succès, les Doležal se sont présentés aux lecteurs en tant que photographes des paysages tchèques, perçus d'un point de vue actuel et touristique, publiés dans des livres sur la Bohême centrale, Posázaví et Šumava. Le public tchécoslovaque connaît les photographies de notre tandem grâce aussi à de nombreux calendriers, guides touristiques et réclames vantant le cristal de Bohême, les bijoux de fantaisie, etc.

Cependant, Prague demeure le thème qui leur tient le plus à coeur. Le livre qui est soumis à votre attention en est un témoignage convainquant.

JIŘÍ E IVAN DOLEŽAL

Il più anziano dei due fotografi, autori di questo libro, è *Jiří Doležal (1921)*, che si occupa di Praga, il suo tema preferito, ormai da trent'anni. All'interesse per la città l'autore si è avvicinato a gradini. Prima come redattore di una casa editrice per la quale si occupava della grafica dei libri tendendo già allora all'attività del fotografo. Il risultato di tutto ciò è stata la collaborazione ad alcuni libri dedicati a Praga pubblicati negli anni sessanta.

Poco dopo si è associato al padre anche il figlio *Ivan Doležal (1950)*, quando ancora studiava alla scuola specializzata di Praga dove, sotto la guida del professor Šmok, ha dedicato il suo lavoro di laurea al fotografo Josef Sudek, dal quale è stato anche influenzato.

Così nel 1971 è stato pubblicato il libro fotografico in bianco e nero intitolato «Praga d'oro», dove la parte del padre era ancora quella più consistente. Due anni dopo è stata pubblicata «Praga» ormai quasi interamente a colori, premiata nel 1973 al concorso per il più bel libro dell'anno di cui sono uscite quattro edizioni. Negli anni ottanta sono state poi stampate altre tre edizioni, ognuna delle quali parzialmente modificata, del libro «Praga» di grande formato ed interamente a colori. Alla città di Praga i nostri due fotografi si sono dedicati anche in altre pubblicazioni più specializzate («I giardini di Praga», «Il Castello e Malá Strana») per la casa editrice «Brockhaus Verlag» di Lipsia. Grazie alla casa editrice «Südwestverlag» di Monaco di Baviera il libro «Praga» è stato presentato anche al pubblico della Germania occidentale.

Padre e figlio sono conosciuti dai lettori anche come fotografi dei paesaggi cechi, colti soprattutto dal punto di vista etnografico e turistico, e inseriti nei libri dedicati alla Boemia centrale, regione attorno al fiume Sázava e alla Foresta boema. Le loro foto appaiono nei calendari, nelle guide turistiche e nei depliant sul cristallo e sulla bigiotteria.

Il loro tema preferito rimane comunque sempre Praga, così come testimonia anche questo libro.

JIŘÍ E IVAN DOLEŽAL

De los dos artistas que son autores de las fotografías de esta publicación, el mayor, *Jiří Doležal (1921)*, ha dedicado ya treinta años al tema principal de su vida, Praga. Fue poco a poco que llegó a esta vocación. Como especialista de una editorial se dedicó no sólo a la presentación gráfica sino que también intentó incorporar sus propias fotografías. Como resultado de ello, participó a mediados de los años 60 en varias publicaciones dedicadas a Praga: Monumentos de la vieja Praga, Mil años del Castillo de Praga. Monumentos de la Praga judía.

Poco después se unió a los esfuerzos de su padre el hijo *Ivan Doležal (1950)*, por entonces alumno de la Facultad de Cinematografía de la Academia de Artes Musicales; en la cátedra del profesor Šmok preparó su trabajo de grado, dedicándolo a la obra de Josef Sudek, un autor que influyó notablemente en su evolución ulterior.

Así salieron, primero con la participación dominante de Jiří Doležal, la colección en blanco y negro La Praga de oro (Zlatá Praha, 1971) y luego, dos años más tarde, el libro en su mayoría de fotografías en colores Praga (premiado en 1978 como el libro más bello del año), que alcanzó cuatro ediciones. Tres nuevas ediciones de fotografías en colores dedicadas a la ciudad en los años 80 contaron con los trabajos de ambos autores. Participaron también en varias publicaciones menores de la editorial Brockhausverlag de Leipzig: Los jardines de Praga, El Castillo de Praga, Malá Strana, etc. Su monografía de Praga fue difundida en el mercado germano-occidental por la Südwestverlag de Munich.

Jiří e Ivan Doležal son conocidos por el lector también como autores de exitosos ciclos fotográficos del paisaje checo, que registraron tanto desde el punto de vista etnofráfico como turístico en monografías dedicadas a Bohemia Central, el valle del Sázava y los Montes de Šumava. Sus fotografías adornan muchos almanaques y guías turísticas, así como en la publicidad del cristal y la bisutería de Bohemia y otros productos.

No obstante, su tema central sigue siendo Praga. El libro que recibe el lector es un maduro testimonio de ello.

JIŘÍ DOLEŽAL
IVAN DOLEŽAL
PRAHA

Textová část Jiří Marek
Obálka, vazba a grafická úprava
Miloslav Fulín
Uspořádání a popisky Otakar Mohyla
Překlad do němčiny Valter Kraus,
do angličtiny Joy Kadečková,
do francouzštiny Jana Skřivánková,
do italštiny Zdeněk Frýbort,
do španělštiny Luis C. Turiansky
Vydalo nakladatelství Olympia a. s. v Praze,
roku 1992, jako svou 2639. publikaci
Druhé vydání
224 strany, 290 barevných fotografií
Odpovědná redaktorka Soňa Scheinpflugová
Výtvarný redaktor Karel Kárász
Technická redaktorka Jitka Šimková
Vytiskla Svoboda, graf. závody, a. s., Praha

27-017-92